Zollman
Kommer
1848 Roanoke Ave.
Louisville, Ky.
Hi 1382-R

~~W. ...~~
~~...~~
~~Middletown,~~
~~Kentucky~~

KLEINE ANTHOLOGIE

KLEINE ANTHOLOGIE
DEUTSCHER LYRIK

Herausgegeben von

O. S. FLEISSNER
E. MENTZ-FLEISSNER

1941

F. S. CROFTS & CO. NEW YORK

First printing, January, 1935
Second printing, June, 1936
Third printing, January, 1939
Fourth printing, January, 1941

MANUFACTURED IN THE UNITED STATES OF AMERICA

EINFÜHRUNG

Das lyrische Gedicht ist der Chor im Drama des Lebens — der Welt. Die lyrischen Dichter sind ein aus Jugend und Alter, Freude, Anteil und Weisheit lieblich gemischter Chor. NOVALIS

Essentially taste is developed by experience, by contacts with masterpieces, and the people who really establish its basis are the men who make a nation's works of art. ROYAL CORTISSOZ

Poetry gives most pleasure when only generally and not perfectly understood. COLERIDGE

Mit diesen drei Leitsätzen unserer Arbeit ist eigentlich schon alles Wesentliche über Sinn und Absicht dieser „kleinen Anthologie" gesagt. Die Lyrik, die in konzentrierter Form so viele Stimmen aus der deutschen Dichtung zu Worte kommen läßt, soll auch dem zugänglich werden, der noch nicht viel „kann". Ja gerade ihm, der sich mit der Sprache plagen muß, soll das lyrische Gedicht Erholung, Ansporn, Freude bringen und ein Gefühl des Könnens vermitteln, das er bei der mühsamen Übersetzung langer Prosastücke nicht gewinnen kann. Gedichte können dem Anfänger schon eine Ahnung von der Schönheit der deutschen Sprache und der Vielseitigkeit der deutschen Dichtung geben, wenn er zur Lektüre anderer literarischer Werke noch längst nicht fähig ist. Es ist kein Zufall, daß sich unter der Anfängerlektüre so wenig literarisch Wertvolles findet, die „Literatur" bietet zu große sprachliche Schwierigkeiten — mit Ausnahme der Lyrik! Das ist bisher noch nicht genügend erkannt worden. Geschmack an wirklicher Dichtung, g u t e r Geschmack muß aber schon im Anfänger geweckt werden, wenn man von ihm bleibendes Interesse für die deutsche Sprache und Dichtung erwartet.

Die Gedichte dieser Sammlung sind alle so ausgewählt, daß sie dem Leser unmittelbar zugänglich sind. Sie sollen nicht zerpflückt und pedantisch übersetzt, sondern als Ganzes am liebsten laut gelesen und als Klang- und Gefühlseinheit erfaßt werden. Es ist immer wieder überraschend, wie gut der Anfänger das schon „kann"! Das mangelhafte grammatische Verstehen verhindert bei ihm ein rein intellektuelles Erfassen; der Klangwert der Wörter und Rhythmen kommt für ihn stärker zur Geltung, die Kraft und Feinheit der Sprache (und des zugrundeliegenden Sinnes) offenbart sich ihm gefühlsmäßig, was dem lyrischen Gedicht nur zugute kommt. Das bedeutet freilich nicht, daß er nicht auch wissen soll, wovon die Rede ist! Deshalb sind in dieser Sammlung alle Wörter und Wendungen erklärt, die zum Verständnis nötig und die nicht in *jeder* Anfänger-Grammatik zu finden sind. Der Leser findet diese Erklärungen auf der Seite selbst, denn das Verständnis eines Gedichts soll keine schwere Arbeit, kein Wörternachschlagen sein, sondern Spiel, Erholung, Genuß. Ganz von selbst wird sich durch die häufige Wiederholung derselben Wörter (die Lyrik hat einen viel kleineren Wortschatz als Prosawerke) ein Lernen und sprachliches Vorwärtskommen ergeben, was aber niemals Hauptsache werden darf.

Die „kleine Anthologie" richtet sich nicht nach literarhistorischen Gesichtspunkten. Sie macht keinen Anspruch auf Vollständigkeit, läßt vieles Bekannte aus und bringt manches Neue. Jedes Gedicht, das aufgenommen wurde, mußte dreierlei Bedingungen erfüllen: Es mußte g u t sein, es mußte von starkem, allgemein menschlichem Interesse sein und besonders der Jugend etwas zu sagen haben; es mußte s p r a c h l i c h l e i c h t und inhaltlich unkompliziert und aus einem Guß sein. Da ergab es sich von selbst, daß die modernen Dichter vor allem zu Worte kamen. Sie sprechen die Sprache unserer Zeit, sie sprechen zu unserer Zeit und vor allem zu unserer Jugend. Nichts wurde aufgenommen, nur weil es literarhistorisch wertvoll war; aber manches literarhistorisch Wertvolle und Bekannte entspricht den Grundbedingungen unserer Sammlung und hat darin seinen Platz gefunden. — Nichts wurde aufgenommen, nur weil es leicht und inhaltlich einfach war. Die Kinderreime und Scherzgedichte, die man in Anfängerbüchern so allgemein findet, sind selten g u t e Gedichte von literarischem Wert und für den Leser von geringem Interesse. Auf Spiel, Witz und Humor wurde andererseits besonderer Wert gelegt, da die deutsche Lyrik so vielfach als zu ernst und traurig gilt. Aus demselben Grunde wurden allzu gefühlsbetonte, sentimentale Gedichte möglichst gemieden. Dagegen wurde eine kleine Gruppe gedanklicher, ja philosophischer Gedichte und Sprüche aufgenommen, weil nach unserer Erfahrung gerade der Anfänger sich freut, wenn er im Gewand der fremden Sprache einen Gedanken findet, der ihn interessiert und mit dem er selbst etwas anfangen kann. So hat z.B. Zarathustras Lied auf unsere Anfänger immer einen besonders starken Eindruck gemacht!

Die Gedichte sind dem Inhalt nach in losen, größeren Gruppen zusammengefaßt. Leichtes und weniger Leichtes wechselt miteinander ab. In einer Sammlung dieser Art sind Abwechslung und Farbigkeit der strengen methodischen Ordnung sicher vorzuziehen. Die meisten Lehrer würden sich außerdem kaum an irgendeine Anordnung halten, sondern je nach Geschmack und Interesse die Reihenfolge selbst bestimmen. Diese individuelle Auswahl soll durch das Autorenverzeichnis erleichtert werden, während im Inhaltsverzeichnis die leichtesten Gedichte durch Sternchen besonders hervorgehoben sind.

Unsere kleine Sammlung ist in mehreren Jahren allmählich entstanden. Jedes Gedicht ist an unseren Anfängern „ausprobiert" worden, ehe es aufgenommen wurde. Vieles wurde bei dieser Prüfung als ungeeignet ausgelassen, was ursprünglich geeignet erschien. Nur das wurde gewählt, was von den Schülern sofort verstanden wurde und unmittelbaren Beifall und Interesse weckte. Auf diese Weise ist, so hoffen wir, eine Sammlung entstanden, die in erster Linie ein Geschenk für den Lernenden ist. Wenn er sich ernstlich geplagt hat mit Grammatik und Vokabeln, mit Übersetzen und Analysieren, dann soll er dieses Buch aufschlagen dürfen und darin die fremde Sprache wie ein Geschenk entdecken, das ihm mühelos und vollkommen zufällt und ihm zeigt, wie schön und wertvoll das ist, worum er sich müht. Kein „textbook" soll die „kleine Anthologie" werden, das man verkauft, verliert und vergißt, wenn man damit fertig ist; sondern eine kleine Probe deutscher Dichtung, die auch dem Fortgeschrittenen noch wertvoll bleibt und dem, der vom Deutschen bald wieder Abschied nimmt, eine bleibende anregende Erinnerung bietet. Aber auch dem Lehrer sollte die Lektüre dieser Sammlung nach der Stunde Müh' und Plage ein paar Minuten „müheloser Arbeit" bringen, wo er sich mit dem Schüler im Genuß wirklicher Dichtung vereinen und in der Freude am Kunstwerk selbst vollständig aufgehen kann.

O. S. F.
E. M.-F.

INHALT

VON KINDERN

		Seite
* Triumphgeschrei	Richard Dehmel	3
* Die Mutter bei der Wiege	Matthias Claudius	4
* Die kleine Mutter	Manfred Hausmann	5
* Ein Kindergedicht	Christian Morgenstern	6
* Es sitzt ein Kind . . .	Paul Ernst	8
Märchen	Börries von Münchhausen	9
* Der Gast	Theodor Fontane	10
In meiner Mutter Garten	Hermann Claudius	11
* Vor meinem Fenster	Arno Holz	12

LIEBE UND LEBEN

* Mein	12. Jahrhundert	15
Du milchjunger Knabe	Gottfried Keller	16
Heidenröslein	Johann Wolfgang Goethe	17
* Ritterliche Werbung	Eduard Mörike	18
* Der alte König	Heinrich Heine	19
Chronik	Agnes Miegel	20
Feinsliebchen	Volkslied	21
Schön-Rohtraut	Eduard Mörike	22
Im Volkston	Theodor Storm	24
Wenn ich ein Vöglein wär'	Volkslied	25
Kein Feuer, keine Kohle	Volkslied	26
* An einen Boten	Volkslied	27
Hüte Dich!	Volkslied	28
Das mitleidige Mädel	Gustav Falke	29
* Nachts in der Kajüte	Heinrich Heine	30
* Es stehen unbeweglich	Heinrich Heine	31
Du schönes Fischermädchen	Heinrich Heine	32
Es ragt ins Meer der Runenstein	Heinrich Heine	33
Ich und Du	Friedrich Hebbel	34
Der Mond ist wie eine feurige Ros'	Max Dauthendey	35
Rose weiss, Rose rot	Hermann Löns	36
Schwesterlein, Schwesterlein	Volkslied	37
Lied vom Winde	Eduard Mörike	39

* Besonders leichte Gedichte.

MENSCH UND NATUR

		Seite
Frühlingsgruss	Joseph von Eichendorff	43
Frühling ist wiedergekommen	Rainer Maria Rilke	44
Weisser Flieder	Börries von Münchhausen	45
* Einem jungen Mädchen	Caesar Flaischlen	46
Ein Freiheitslied	Richard Dehmel	47
* Der alte Gärtner	Richard von Schaukal	48
Morgen	Gottfried Keller	49
Schönes, grünes, weiches Gras	Arno Holz	50
Märchen	Arno Holz	51
Das Wandern	Wilhelm Müller	53
Junggesellen sind auf Reisen	Erich Kästner	55
Wir gehen am Meer	Max Dauthendey	57
Dorfkirche im Sommer	Detlev von Liliencron	58
Der Arbeitsmann	Richard Dehmel	59
Abendlied	Matthias Claudius	60
Wanderers Nachtlied	Johann Wolfgang Goethe	61
Stimmen der Nacht	Joseph von Eichendorff	62
Manchmal geschieht es . . .	Rainer Maria Rilke	63
Manchmal	Hermann Hesse	64
Traumreiselied	Friedrich Schnack	65
Zarathustras Lied	Friedrich Nietzsche	66
Im Park	Joachim Ringelnatz	67
* Der Schaukelstuhl	Christian Morgenstern	68
Herbstbild	Friedrich Hebbel	69
Herbst	Rainer Maria Rilke	70
Die stille Stadt	Richard Dehmel	71
Dunkel wird es, Winter wird es und Nacht	Siegfried von Vegesack	72
Heller Morgen	Börries von Münchhausen	73

VOM KRIEGE

Das ist der Krieg!	Ph. Schaffert	77
Es liess ein jeder Frontsoldat	Martin von Katte Zolchow	78
Brüder	Heinrich Lersch	79
Kriegsende	Börries von Münchhausen	80
Monolog des Blinden	Erich Kästner	81

VOM TODE UND VON GOTT

		Seite
Das Eisenbahngleichnis	Erich Kästner	85
Auf Wanderung	Hermann Hesse	87
Der Tod und das Mädchen	Matthias Claudius	88
Der Tod ist gross	Rainer Maria Rilke	89
* Der Gottsucher	Gustav Schüler	90
Fromm	Gustav Falke	91
* Es geht eine Tür . . .	Friedrich Kayßler	92
Schönster Herr Jesu	Volkslied	93
Arm Seelchen	Volkslied	94

BALLADEN

Ballade	Moritz Arndt	97
Der weisse Hirsch	Ludwig Uhland	98
Es freit' ein wilder Wassermann	Volksballade	99
Der Wirtin Töchterlein	Ludwig Uhland	101
Die Alte	Ernst von Wildenbruch	103
Lorelei	Joseph von Eichendorff	105
Erlkönig	Johann Wolfgang Goethe	106
Die Glocke im Meer	Richard Dehmel	108
Was der Zigeuner sang	Börries von Münchhausen	110
Herr von Ribbeck auf Ribbeck im Havelland	Theodor Fontane	112

GEDANKEN

Ein kleines Lied	Marie von Ebner-Eschenbach	117
* Herrliches Geheimnis	Theowill Uebelacker	118
Seele	Hermann Claudius	119
Allein	Hermann Hesse	120
Serenade	Johann Wolfgang Goethe	121
Erinnerung	Goethe	122
* Sprüche	Schiller	122
Sprüche	Goethe	123
Sprüche	Rückert, Angelus Silesius, Hölderlin, Werfel, Ebner-Eschenbach	124
* Sprüche	Nietzsche	125
* Sprüche	Matthias Claudius, Goethe, Heyse, Volksspruch	126
Sieben Zeilen	Kayßler	127
* Spruch	Rückert	127
Autorenverzeichnis		129

VON KINDERN

TRIUMPHGESCHREI

Alle kleinen Kinder
Schrein hurra, hurra.
Mutterchen liegt still zu Bett,
Kindchen schreit hurra.

Vater steht daneben,
Guckt und brummt: ja, ja,
Ist ein schweres Leben.
Kindchen schreit hurra.

Mutterchen brummt gar nicht,
Selig liegt sie da.
Denn das kleine Menschenkind
Schreit hurra, hurra.

Richard Dehmel

---

das *Triumphgeschrei*, -s, shouts of triumph; *gucken*, to look; *brummen*, to mutter; *selig*, happy, blissful.

DIE MUTTER BEI DER WIEGE

Schlaf, süßer Knabe, süß und mild!
Du deines Vaters Ebenbild!
Das bist du; zwar dein Vater spricht,
Du habest seine Nase nicht.

Nur eben itzo war er hier
Und sah dir ins Gesicht,
Und sprach: Viel hat er zwar von mir,
Doch meine Nase nicht.

Mich dünkt es selbst, sie ist zu klein,
Doch muß es seine Nase sein;
Denn wenn's nicht seine Nase wär',
Wo hätt'st du denn die Nase her?

Schlaf, Knabe, was dein Vater spricht,
Spricht er wohl nur im Scherz;
Hab' immer seine Nase nicht,
Und habe nur sein Herz!

Matthias Claudius

---

die *Wiege*, -n, cradle; das *Ebenbild*, -s, image; *zwar*, it is true; die *Nase*, -n, nose; *nur eben itzo* (= jetzt), just now; *mich dünkt*, it seems to me; *her haben*, to get from; der *Scherz*, -es, -e, joke; *hab' immer . . . nicht*, never mind not having.

DIE KLEINE MUTTER

Und als es Abend wurde,
Maria saß ganz allein.
Sie saß im dunklen Stalle
und wiegte ihr Kindchen ein.

Nun schlafe, Kindchen, schlafe!
Die Hirten haben gesagt,
du wärest ein Königsknabe
und ich eine Gottesmagd.

Das mögen sie singen und sagen.
Nun schlafe, mein Kindchen, schlaf ein.
Ich bin eine kleine Mutter,
und du bist mein Jesulein.

Manfred Hausmann

---

dunkel, dark; der *Stall*, -es, ⸗e, stable; *ein-wiegen*, to rock; der *Hirte*, -n, -n, shepherd; die *Gottesmagd*, handmaid of the Lord.

EIN KINDERGEDICHT

Spann dein kleines Schirmchen auf;
denn es möchte regnen drauf.

Denn es möchte regnen drauf;
halt nur fest den Schirmchen-Knauf.

Halt nur fest den Schirmchen-Knauf —
und jetzt lauf! und jetzt lauf!

Und jetzt lauf! und jetzt lauf!
Lauf zum Kaufmann hin und kauf!

Lauf zum Kaufmann hin und sag:
Guten Tag! Guten Tag!

Guten Tag, Herr Kaufmann mein,
gib mir doch ein Stückchen Sonnenschein.

Gib mir doch ein Stückchen Sonnenschein;
denn ich will mein Schirmchen trocknen fein.

Denn ich will mein Schirmchen trocknen fein.
Und der Kaufmann geht ins Haus hinein.

---

das *Gedicht*, -s, -e, poem; *auf-spannen*, to open; das *Schirmchen*, -s, -, little umbrella; *fest*, firm, tight; der *Knauf*, -s, ⁻e, handle; der *Kaufmann*, -s, Kaufleute, merchant; *ein Stückchen Sonnenschein*, a bit (little piece) of sunshine; *trocknen*, to dry; *fein* (adv.), neatly.

Und der Kaufmann geht hinein ins Haus,
und er bringt ein Stückchen Sonne heraus.

Und er bringt ein Stückchen Sonne heraus.
Sieht es nicht wie gelber Honig aus?

Sieht es nicht wie gelber Honig schier?
Und er tut es sorgsam in Papier.

Und er tut es sorgsam in Papier.
Und dies Päckchen dann, das bringst du mir.

Und zu Haus, da packen wir es aus —
sieht es nicht wie gelber Honig aus?

Und die Hälfte kriegst dann du, mein Irmchen,
und die andre Hälfte kriegt das Schirmchen,

Und jetzt spann dein Schirmchen auf —
und lauf! und lauf!

Christian Morgenstern

---

der *Honig*, -s, honey; *schier*, almost; *er tut es . . .*, he puts it . . .; *sorgsam*, careful; das *Päckchen*, -s, -, little package; *aus-packen*, to unwrap; *kriegen*, to get; *Irmchen*, little Irma.

ES SITZT EIN KIND . . .

Es sitzt ein Kind dem Vater auf dem Schoß;
Das Köpfchen streicht ihm rauh der große Bart;
Einst soll es auch ein Mann sein, wird gesagt;
Da lacht es laut. Das wäre freilich schön,
Ein Mann zu sein, so wie der Vater ist.
Großmutter ist nun krank. Da wird gesagt,
Sie wird bald sterben. Still liegt sie im Bett.
Es sitzt das Kind vor ihr und schaut sie an,
Und fragt: „Ist das denn wahr, daß du nun stirbst?"
Im Kissen lächelt da die alte Frau;
Die alten Hände liegen still vor ihr.
Sie sagt: „Wir müssen alle sterben, Kind."
Da weint das Kind und rutscht vom Stuhl herab
Und läuft zur Tür und hämmert an die Tür
Und schreit. Die Mutter kommt und fragt das Kind
Und nimmt es hoch. Es klammert um den Hals
Der Mutter sich, hält das Gesicht versteckt;
„Ich will nicht sterben, Mutter", schluchzt es dann.

Paul Ernst
(Aus: Das Alter)

---

der *Schoß*, -es, lap; *streichen*, i, i, stroke; *rauh*, rough; der *Bart*, -es, ¨-e, beard; *einst*, some day; *freilich*, surely, indeed; das *Kissen*, -s, -, pillow; *herab-rutschen*, to slide down; *hämmern*, to hammer, pound; *hoch-nehmen*, nahm hoch, hochgenommen, to raise in one's arms; *klammern sich an*, to cling to; *verstecken*, to hide; *schluchzen*, to sob.

MÄRCHEN

Glänzende Augen und feurige Bäckchen,
Eins rechts, eins links im Sofaeckchen,
Die kleinen Hände fest geballt.

„Also der Königssohn kam aus dem Wald
Mit der Prinzessin glücklich heraus,
Und nun ist die Geschichte aus!"

Zwei tiefe Seufzer. Die rosa Mäulchen
Schließen sich für ein kurzes Weilchen,
Und dann zwei Stimmen, schmeichelnd und nah:
„Nochemal, bitte bitte, nochemal, Papa!"

Börries von Münchhausen

---

das *Märchen*, -s, -, fairy-tale: *glänzend*, shining, radiant; *feurig*, glowing; das *Bäckchen*, -s, -, little cheek; die *Sofaecke*, -n, corner of the sofa; *ballen*, to clench; *aus sein*, to be at an end; der *Seufzer*, -s, -, sigh; *rosa*, rose colored; das *Mäulchen*, -s, -, little mouth; *ein Weilchen*, a while; *schmeicheln*, to coax; *noch(e)mal* = noch einmal, again, once more.

DER GAST

Das Kind ist krank zum Sterben,
Die Lampe gibt trägen Schein,
Die Mutter spricht: „Mir ist es,
Als wären wir nicht allein."

Der Vater sucht zu lächeln,
Doch im Herzen pocht's ihm bang;
Stiller wird's und stiller —
Die Nacht ist gar zu lang.

Nun scheint der Tag ins Fenster,
Die Vögel singen so klar;
Die beiden wußten lange,
Wer der Gast gewesen war.

Theodor Fontane

---

gibt trägen Schein, gives forth a dull light; *mir ist es, als . . .*, it seems to me as if; *suchen* = versuchen, to try; *im Herzen pocht's ihm bang*, his heart is beating with anxiety; der *Gast*, -es, ⸚e, guest (here: Death).

IN MEINER MUTTER GARTEN

In meiner Mutter Garten
eine Kastanie steht.
Wenn man darunter geht,
breitet sie dunkel die Krone.

Durch die dunkle Krone
weht ein heimlicher Wind.
Ich fühle mich wieder Kind
in meiner Mutter Garten.

In meiner Mutter Garten
— ich vergaß es lang —
singt ein heimlicher Sang
aus der dunklen Krone.

In meiner Mutter Garten
— wie das geschehen mag —
ward mein Leben e i n Tag,
ein einziger Stundenschlag
unter der dunklen Krone.

Hermann Claudius

---

die *Kastanie*, -n, chestnut-tree; *breiten*, to spread; die *Krone*, -n, crown, *wehen*, to stir; *heimlich*, secret, mysterious; *ward* = wurde; der *Stundenschlag* = Glockenschlag, meaning: my youth was (seems) as short as the striking of a single hour by the clock.

VOR MEINEM FENSTER

Vor meinem Fenster
singt ein Vogel.

Still hör ich zu; mein Herz vergeht.

Er singt
was ich als Kind . . . so ganz besaß
und dann — vergessen!

Arno Holz

---

zu-hören, to listen; *mein Herz vergeht*, my heart melts within me; *besitzen*, besaß, besessen, to possess; *vergessen* (habe), forgot, from *vergessen*, *vergaß*, *vergessen*.

LIEBE UND LEBEN

MEIN

Du bist mein, ich bin dein,
Des sollst du gewiß sein.
Du bist verschlossen
In meinem Herzen,
Verloren ist das Schlüsselein:
Du mußt immer drinnen sein.

12. Jahrhundert

---

des = dessen; *gewiß*, certain; *verschließen*, o, o, to lock (up); *verlieren*, o, o, to lose; das *Schlüsselein*, -s, -, little key; *drinnen* = darinnen, in it.

DU MILCHJUNGER KNABE

Du milchjunger Knabe,
Wie siehst du mich an?
Was haben deine Augen
Für eine Frage getan!

Alle Ratsherrn der Stadt
Und alle Weisen der Welt
Bleiben stumm auf die Frage,
Die deine Augen gestellt!

Ein leeres Schneckhäusel,
Schau', liegt dort im Gras;
Da halte dein Ohr dran,
Drin brümmelt dir was!

Gottfried Keller

---

milchjung, immature, sweet young; *eine Frage tun*, to ask a question; der *Ratsherr*, -n, -n, magistrate; der *Weise*, -n, -n, sage; *stumm*, silent; das *Schneckhäusel*, -s, -, snail-shell; *schauen*, to look; das *Ohr*, -es, -en, ear; *brümmeln*, to hum; *was* = etwas.

HEIDENRÖSLEIN

Sah ein Knab' ein Röslein stehn,
Röslein auf der Heiden,
War so jung und morgenschön,
Lief er schnell es nah zu sehn,
Sah's mit vielen Freuden.
Röslein, Röslein, Röslein rot,
Röslein auf der Heiden.

Knabe sprach: ich breche dich,
Röslein auf der Heiden!
Röslein sprach: ich steche dich,
Daß du ewig denkst an mich,
Und ich will's nicht leiden.
Röslein, Röslein, Röslein rot,
Röslein auf der Heiden.

Und der wilde Knabe brach
's Röslein auf der Heiden;
Röslein wehrte sich und stach,
Half ihm doch kein Weh und Ach,
Mußt' es eben leiden.
Röslein, Röslein, Röslein rot,
Röslein auf der Heiden.

Johann Wolfgang Goethe

---

das *Heidenröslein*, -s, -, heath-rose, wild rose; *brechen*, a, o, to pluck; *stechen*, a, o, to prick; *ewig*, for ever; *leiden*, litt, gelitten, to suffer, permit; *sich wehren*, to defend o.s., resist; *Weh und Ach*, cries of woe, complaints.

RITTERLICHE WERBUNG

(aus dem Englischen)

„Wo gehst du hin, du schönes Kind?" —
„Zu melken, Herr!" — sprach Gotelind.

„Wer ist dein Vater, du schönes Kind?" —
„Der Müller im Tal" — sprach Gotelind.

„Wie, wenn ich dich freite, schönes Kind?" —
„Zu viel der Ehre!" — sprach Gotelind.

„Was hast du zur Mitgift, schönes Kind?" —
„Herr, mein Gesicht" — sprach Gotelind.

„So kann ich dich nicht wohl frein, mein Kind." —
„Wer hat's Euch geheißen?" — sprach Gotelind.

Eduard Mörike

Ritterliche Werbung, knightly courting; *melken*, to milk cows; der *Müller* -s, -, miller; *freien*, to marry; die *Mitgift*, dowry; *heißen*, ie, ei, to ask.

DER ALTE KÖNIG

Es war ein alter König,
Sein Herz war schwer, sein Haupt war grau;
Der arme, alte König,
Er nahm eine junge Frau.

Es war ein schöner Page,
Blond war sein Haupt, leicht war sein Sinn;
Er trug die seidne Schleppe
Der jungen Königin.

Kennst du das alte Liedchen?
Es klingt so süß, es klingt so trüb!
Sie mußten beide sterben,
Sie hatten sich viel zu lieb.

Heinrich Heine

---

das *Haupt*, -es, ⸚er, head; *grau* here: gray-haired; der *Sinn*, -es, -e, sense, mind, heart; *seiden* (adj.), silk(en); die *Schleppe*, -n, train (of dress); *klingen*, a, u, to sound; *trüb*, sad.

CHRONIK

Es stand am Rain ein Hirtenkind
Und hütete die Herde,
Und wie sie sang im Sommerwind,
Ihr Haar floß bis zur Erde.

Es kam herab von seinem Schloß
Der junge Prinz gestiegen,
Er hielt am Weg mit seinem Troß
Und sah ihr Goldhaar fliegen.

Sie sang ein altes Liebeslied
Dem jungen Königssohne,
Da hat er still vor ihr gekniet
Und bot ihr seine Krone.

Es ist in alle Lande hin
Der Fürstin Ruhm erklungen, —
Doch hat die junge Königin
Wohl niemals mehr gesungen . . .

Agnes Miegel

---

die *Chronik*, -en, chronicle; *am Rain*, on the edge (of the meadow); der *Hirte*, -n, -n, shepherd; *hüten*, to guard, tend; *kam gestiegen*, came descending; der *Troß*, -es, suite, attendants; *knien*, to kneel; *bieten*, o, o, to offer; die *Krone*, -n, crown; der *Ruhm*, -s, fame; *erklingen*, a, u, to ring out, spread.

FEINSLIEBCHEN

„Feinsliebchen, du sollst mir nicht barfuß gehn,
Du zertrittst dir die zarten Füßlein schön!"

„Wie sollte ich denn nicht barfuß gehn,
Hab' keine Schuh ja anzuziehn."

„Feinsliebchen, willst du mein eigen sein,
So kauf' ich dir ein Paar Schühlein fein."

„Wie könnte ich Euer eigen sein,
Ich bin ein armes Mägdelein."

„Und bist du auch arm, so nehm' ich dich doch,
Du hast ja Ehr' und Treue noch."

„Die Ehr' und Treue mir keiner nahm,
Ich bin, wie ich von der Mutter kam."

Was zog er aus seiner Tasche fein?
Von lauter Gold ein Ringelein.

Volkslied

Feinsliebchen, sweetheart; *barfuß*, bare-footed; *zertreten*, a, e, to hurt; *wie . . . denn*, why; . . . *ja*, since; das *Schühlein*, -s, -, little shoe; das *Mägdelein*, -s, -, maiden, girl; *auch*, although; *die Ehr' und die Treue*, honor and faith; *lauter*, pure.

SCHÖN-ROHTRAUT

Wie heißt König Ringangs Töchterlein?
  Rohtraut, Schön-Rohtraut.
Was tut sie denn den ganzen Tag,
Da sie wohl nicht spinnen und nähen mag?
  Tut fischen und jagen.
O daß ich doch ihr Jäger wär'!
Fischen und Jagen freute mich sehr.
  — Schweig stille, mein Herze!

Und über eine kleine Weil',
  Rohtraut, Schön-Rohtraut,
So dient der Knab' auf Ringangs Schloß
In Jägertracht und hat ein Roß,
  Mit Rohtraut zu jagen.
O daß ich doch ein Königssohn wär'!
Rohtraut, Schön-Rohtraut lieb' ich so sehr.
  — Schweig stille, mein Herze!

Einstmals sie ruhten am Eichenbaum,
  Da lacht Schön-Rohtraut:
„Was siehst mich an so wonniglich?
Wenn du das Herz hast, küsse mich!"
  Ach! erschrak der Knabe!

---

spinnen, a, o, to spin; *nähen*, to sew; *jagen*, to hunt; *O daß . . .*, I wish . . .; der *Jäger*, -s, -, hunter; die *Weile*, while, time; die *Tracht*, -en, costume, outfit; das *Roß*, -e, -e, horse; *einstmals*, one day; der *Eichenbaum*, -s, ⸗e, oak-tree; *was siehst . . .* = warum siehst du; *wonniglich*, endearingly; *das Herz haben*, to have courage; *küssen*, to kiss; *erschrecken*, erschrak, erschrocken, to be frightened.

Doch denket er: „Mir ist's vergunnt,“
Und küsset Schön-Rohtraut auf den Mund.
— Schweig stille, mein Herze!

Darauf sie ritten schweigend heim,
Rohtraut, Schön-Rohtraut;
Es jauchzt der Knab' in seinem Sinn:
„Und würdst du heute Kaiserin,
Mich sollt's nicht kränken!
Ihr tausend Blätter im Walde wißt,
Ich hab' Schön-Rohtrauts Mund geküßt!
— Schweig stille, mein Herze!“

Eduard Mörike

---

vergunnt, archaic for: vergönnt, from vergönnen, not to begrudge, to grant a privilege; *jauchzen*, to rejoice; der *Sinn*, -es, heart; *kränken*, to hurt, grieve.

IM VOLKSTON

Als ich dich kaum gesehn,
Mußt es mein Herz gestehn,
Ich könnt dir nimmermehr
Vorübergehn.

Fällt nun der Sternenschein
Nachts in mein Kämmerlein,
Lieg ich und schlafe nicht
Und denke dein.

Ist doch die Seele mein
So ganz geworden dein,
Zittert in deiner Hand,
Tu ihr kein Leid!

Theodor Storm

Im Volkston, in the tone of the people; *kaum*, scarcely; *gesteh(e)n*, gestand, gestanden, to confess; *nimmermehr*, nevermore; der *Sternenschein*, -s, starlight; das *Kämmerlein*, -s, -, small chamber, bedroom; *zittern*, to tremble; das *Leid*, -s, harm.

WENN ICH EIN VÖGLEIN WÄR'

Wenn ich ein Vöglein wär'
Und auch zwei Flüglein hätt',
Flög' ich zu dir;
Weil's aber nicht kann sein,
Bleib' ich allhier.

Bin ich gleich weit von dir,
Bin ich doch im Schlaf bei dir,
Und red' mit dir;
Wenn ich erwachen tu',
Bin ich allein.

Es vergeht keine Stund' in der Nacht,
Da mein Herze nicht erwacht
Und an dich gedenkt,
Daß du mir viel tausendmal
Dein Herz geschenkt.

Volkslied

---

das *Flüglein*, -s, -, little wing; *flög'*, I should fly (from: fliegen, o, o). *allhier* = hier, here; *gleich* = obgleich, although; *vergehen*, verging, vergangen, to pass.

KEIN FEUER, KEINE KOHLE

Kein Feuer, keine Kohle
Kann brennen so heiß
Als heimliche Liebe,
Von der niemand nichts weiß.

Keine Rose, keine Nelke
Kann blühen so schön,
Als wenn zwei verliebte Seelen
Beieinander tun stehn.

Setze du mir einen Spiegel
Ins Herze hinein,
Damit du kannst sehen,
Wie so treu ich es mein.

Volkslied

---

die *Kohle*, -n, coal; *heimlich*, secret; die *Nelke*, -n, carnation; *verliebt*, in love; *beieinander*, together; der *Spiegel*, -s, -, mirror; *wie so treu ich es mein*, how sincere my intentions are.

AN EINEN BOTEN

Wenn du zu mei'm Schätzel kommst,
Sag: ich ließ' sie grüßen.
Wenn sie fraget, wie mir's geht?
Sag: auf beiden Füßen.

Wenn sie fraget: ob ich krank?
Sag: ich sei gestorben;
Wenn sie an zu weinen fangt,
Sag: ich käme morgen.

Volkslied

---

der *Bote*, -n, -n, messenger; das *Schätzel*, -s, sweetheart; *grüßen lassen*, to send one's greetings (love).

HÜTE DICH!

Ich weiß ein Mägdlein hübsch und fein,
Hüte dich!
Ich weiß ein Mägdlein hübsch und fein,
Es kann gar falsch und freundlich sein,
Hüte dich!
Hüte dich, vertrau' ihr nicht,
Sie narret dich!

Sie hat zwei Äuglein, die sind braun,
Hüte dich!
Sie hat zwei Äuglein, die sind braun,
Sie werden dich gar falsch anschaun,
Hüte dich!
Hüte dich, vertrau' ihr nicht,
Sie narret dich!

Sie hat ein lichtgoldfarben Haar,
Hüte dich!
Sie hat ein lichtgoldfarben Haar,
Und was sie redet, ist nicht wahr,
Hüte dich!
Hüte dich, vertrau' ihr nicht,
Sie narret dich!

Volkslied
(16. Jahrhundert)

Hüte dich!, beware! das *Mägdlein* = Mädchen; *hübsch*, pretty; *vertrauen*, to trust; *narren*, to fool; *jem. falsch anschauen*, to look at a p. deceivingly; *lichtgoldfarben*, light golden.

DAS MITLEIDIGE MÄDEL

Trug mein Herz ich auf der Hand,
wehte ein Wind her übers Land,
weg war es.

Kam ein Mütterchen. Mit Verlaub,
habt Ihr mein Herz? Die Alte war taub,
nickte nur.

Kam der Jäger, brummte was:
So ein Herz, was schert mich das,
frag weiter.

Fragt' ich die Wege auf und ab,
keiner mein Herz mir wieder gab,
weg war es.

Kam zuletzt des Hufschmieds Kind.
Mädel, sahst du kein Herz im Wind?
Lachte sie leis:

Hat's auch der Wind nicht, hast du doch keins,
dauerst mich, Bub; da, nimm meins.
Aber halt's fest.

Gustav Falke

---

mitleidig, compassionate; das *Mädel*, -s, -, = Mädchen; *wehen*, to blow; *weg*, away, gone; das *Mütterchen*, -s, old woman; *mit Verlaub*, with your permission; *taub*, deaf; *nicken*, to nod; *brummen*, to mutter; *was* = etwas; *was schert mich das?* what is that to me?; *auf und ab*, up and down; der *Hufschmied*, -s, -e, blacksmith; *du dauerst mich*, I feel sorry for you; der *Bub*(*e*), -n, -n, boy; *fest*, firm, fast.

NACHTS IN DER KAJÜTE

Das Meer hat seine Perlen,
Der Himmel hat seine Sterne,
Aber mein Herz, mein Herz,
Mein Herz hat seine Liebe.

Groß ist das Meer und der Himmel,
Doch größer ist mein Herz,
Und schöner als Perlen und Sterne
Leuchtet und strahlt meine Liebe.

Du kleines, junges Mädchen,
Komm an mein großes Herz;
Mein Herz und das Meer und der Himmel
Vergehn vor lauter Liebe.

Heinrich Heine

---

die *Kajüte*, -n, cabin; die *Perle*, -n, pearl; *leuchten*, to flash, sparkle; *strahlen*, to beam, glow; *vergehen*, verging, vergangen, to pass, melt away; *lauter*, nothing but, sheer.

ES STEHEN UNBEWEGLICH

Es stehen unbeweglich
Die Sterne in der Höh'
Viel tausend Jahr' und schauen
Sich an mit Liebesweh.

Sie sprechen eine Sprache,
Die ist so reich, so schön;
Doch keiner der Philologen
Kann diese Sprache verstehn.

Ich aber hab' sie gelernet,
Und ich vergesse sie nicht;
Mir diente als Grammatik
Der Herzallerliebsten Gesicht.

Heinrich Heine

---

unbeweglich, immovable, unchanging; *an-schauen*, to look at; *mit Liebesweh*, with love's yearning; der *Philologe*, -n, -n, linguist, scholar; die *Herzallerliebste*, sweetheart.

DU SCHÖNES FISCHERMÄDCHEN

Du schönes Fischermädchen,
Treibe den Kahn ans Land;
Komm zu mir und setze dich nieder,
Wir kosen Hand in Hand.

Leg an mein Herz dein Köpfchen,
Und fürchte dich nicht zu sehr;
Vertraust du dich doch sorglos
Täglich dem wilden Meer.

Mein Herz gleicht ganz dem Meere,
Hat Sturm und Ebb' und Flut,
Und manche schöne Perle
In seiner Tiefe ruht.

Heinrich Heine

---

das *Fischermädchen*, -s, -, fisher maiden; *den Kahn treiben*, to (push) row the boat; *kosen*, to caress, chat, whisper; *vertrauen*, to trust; *sorglos*, careless; *gleichen*, i, i, to be like; die *Ebb' und Flut*, ebb and flood (tide); die *Perle*, -n, pearl; *ruhen*, to rest, lie, be hidden.

ES RAGT INS MEER DER RUNENSTEIN

Es ragt ins Meer der Runenstein,
Da sitz' ich mit meinen Träumen.
Es pfeift der Wind, die Möwen schrein,
Die Wellen, die wandern und schäumen.

Ich habe geliebt manch schönes Kind
Und manchen guten Gesellen —
Wo sind sie hin? Es pfeift der Wind,
Es schäumen und wandern die Wellen.

Heinrich Heine

---

ragen, to project; der *Runenstein*, -s, -e, rune-stone; die *Möwe*, -n, sea-gull; die *Welle*, -n, wave; *schäumen*, to foam; der *Geselle*, -n, -n, lad, fellow.

ICH UND DU

Wir träumten von einander
Und sind davon erwacht,
Wir leben, um uns zu lieben,
Und sinken zurück in die Nacht.

Du tratst aus meinem Traume,
Aus deinem trat ich hervor,
Wir sterben, wenn sich eines
Im andern ganz verlor.

Auf einer Lilie zittern
Zwei Tropfen rein und rund,
Zerfließen in eins und rollen
Hinab in des Kelches Grund.

Friedrich Hebbel

---

hervor-treten, a, e, to step forth, emerge; *verlieren*, o, o, *sich*, to give up o.s. (to); die *Lilie*, -n, lily; *zittern*, to tremble; der *Tropfen*, -s, -, dewdrop; *zerfließen*, o, o, to flow, melt; der *Kelch*, -es, -e, calyx; der *Grund*, -es, bottom.

DER MOND IST WIE EINE FEURIGE ROS'

Der Mond geht groß aus dem Abend hervor,
Steht über dem Schloß und dem Gartentor
Und läßt sanft glühend die Erde los.
Der Mond ist wie eine feurige Ros',
Die meine Liebste im Garten verlor.

Mein Schatten an den steinernen Wänden
Geht hinter mir wie ein dienender Mohr.
Ich werde den Mohren hinsenden,
Er hebe die Rose vorsichtig auf
Und bringe sie ihr in den dunklen Händen.

Max Dauthendey

---

feurig, fiery; *los-lassen*, ie, a, to leave, release; *sanft glühend*, softly glowing; *steinern*, of stone; der *Mohr*, -en, -en, Moor; *auf-heben*, o, o, to pick up; *vorsichtig*, careful.

ROSE WEISS, ROSE ROT

Rose weiß, Rose rot,
Wie süß ist doch dein Mund,
Rose rot, Rose weiß,
Dein denk' ich alle Stund',
Alle Stund' bei Tag und Nacht,
Daß dein Mund mir zugelacht,
Dein roter Mund.

Ein Vogel sang im Lindenbaum,
Ein süßes Lied er sang,
Rose weiß, Rose rot,
Das Herz im Leib mir sprang,
Sprang vor Freude hin und her,
Als ob dein Lachen bei ihm wär',
So süß es klang.

Rose weiß, Rose rot,
Was wird aus mir und dir?
Ich glaube gar, es fiel ein Schnee,
Dein Herz ist nicht bei mir,
Nicht bei mir, geht andern Gang,
Falsches Lied der Vogel sang
Von mir und dir.

Hermann Löns

---

zu-lachen, to smile at; der *Leib*, -es, -er, body; *springen*, a, u, to leap; *klingen*, a, u, to sound; *gar*, almost; *geht andern Gang*, turned another way, is with someone else.

SCHWESTERLEIN, SCHWESTERLEIN

Schwesterlein, Schwesterlein,
Wann gehn wir nach Haus?
„Morgen, wenn die Hähne krähn,
Wolln wir nach Hause gehn,
Brüderlein, Brüderlein,
Dann gehn wir nach Haus."

Schwesterlein, Schwesterlein,
Wann gehn wir nach Haus?
„Morgen, wenn der Tag anbricht,
Eh' endt die Freude nicht,
Brüderlein, Brüderlein,
Der fröhliche Braus."

Schwesterlein, Schwesterlein,
Wohl ist es Zeit?
„Mein Liebster tanzt mit mir,
Geh ich, tanzt er mit ihr,
Brüderlein, Brüderlein,
Laß du mich heut."

Schwesterlein, Schwesterlein,
Was bist du blaß?
„Das macht der Morgenschein
Auf meinen Wängelein,

---

der *Hahn*, -es, ⸚e, cock; *krähen*, to crow; *an-brechen*, a, o, to break; *eh(e)*, until then; *endt* = endet; *der fröhliche Braus*, revelry; *was* = wie, how; *blaß*, pale; der *Morgenschein*, -s, morning-glow; das *Wängelein*, -s,- little cheek.

Brüderlein, Brüderlein,
Die vom Taue naß."

Schwesterlein, Schwesterlein,
Du wankest so matt?
„Suche die Kammertür,
Suche mein Bettlein mir,
Brüderlein, es wird fein
Unterm Rasen sein."

Volkslied

---

der *Tau*, -s, dew; *naß*, wet; *wanken*, to sway, falter; *matt*, weary, weak; *unterm Rasen*, in the grave.

LIED VOM WINDE

Sausewind, Brausewind,
Dort und hier!
Deine Heimat sage mir!

„Kindlein, wir fahren
Seit viel vielen Jahren
Durch die weit weite Welt,
Und möchten's erfragen,
Die Antwort erjagen
Bei den Bergen, den Meeren,
Bei des Himmels klingenden Heeren:
Die wissen es nie.
Bist du klüger als sie,
Magst du es sagen.
— Fort, wohlauf!
Halt uns nicht auf!
Kommen andre nach, unsre Brüder,
Da frag wieder!"

Halt an! Gemach,
Eine kleine Frist!
Sagt, wo der Liebe Heimat ist,
Ihr Anfang, ihr Ende?

„Wer's nennen könnte!
Schelmisches Kind,

Sause-Brausewind, soaring, roaring wind; die *Heimat*, country, home; *erjagen*, to obtain by hunting for; *klingende Heere*, resounding hosts; *klug*, wise; *wohlauf!*, let us go!; *auf-halten*, ie, a, to delay; *an-halten*, ie, a, to stop; *Gemach!*, slowly!; die *Frist*, while; *schelmisch*, roguish.

Lieb' ist wie Wind,
Rasch und lebendig,
Ruhet nie,
Ewig ist sie,
Aber nicht immer beständig.
— Fort! Wohlauf! Auf!
Halt uns nicht auf!
Fort über Stoppel und Wälder und Wiesen!
Wenn ich dein Schätzchen seh',
Will ich es grüßen.
Kindlein, ade!"

Eduard Mörike

---

rasch, quick, fast; *lebendig*, lively, stirring; *ewig*, eternal; *beständig*, lasting; die *Stoppel*, -n, stubble; die *Wiese*, -n, meadow; das *Schätzchen*, -s, sweetheart; *grüssen*, to bring greetings (love); *ade*, goodbye.

MENSCH UND NATUR

FRÜHLINGSGRUSS

Es steht ein Berg in Feuer,
In feurigem Morgenbrand,
Und auf des Berges Spitze
Ein Tann'baum überm Land.

Und auf dem höchsten Wipfel
Steh' ich und schau' vom Baum,
O Welt, du schöne Welt, du,
Man sieht dich vor Blüten kaum!

Joseph von Eichendorff

---

der *Morgenbrand*, -s, morning-glow; die *Spitze*, -n, top, summit; der *Wipfel*, -s, -, tree-top; die *Blüte*, -n, blossom.

FRÜHLING IST WIEDERGEKOMMEN

Frühling ist wiedergekommen. Die Erde
Ist wie ein Kind, das Gedichte weiß;
Viele, o viele . . . Für die Beschwerde
Langen Lernens bekommt sie den Preis.

Streng war ihr Lehrer. Wir mochten das Weiße
An dem Barte des alten Manns.
Nun, wie das Grüne, das Blaue heiße,
Dürfen wir fragen: sie kann's, sie kann's!

Erde, die frei hat, du glückliche, spiele
Nun mit den Kindern. Wir wollen dich fangen,
Fröhliche Erde. Dem Frohsten gelingt's.

O, was der Lehrer sie lehrte, das Viele,
Und was gedruckt steht in Wurzeln und langen
Schwierigen Stämmen: sie singt's, sie singt's!

Rainer Maria Rilke

---

die *Beschwerde*, -n, toil; der *Preis*, -es, -e, prize; *streng*, strict; der *Bart*, -es, ⸗e, beard; *frei-haben*, to have a holiday; *fröhlich*, joyful; *dem Frohsten gelingt's*, the most joyous one will succeed; *gedruckt stehen*, to be printed; die *Wurzel*, -n, root; *schwierig*, difficult; der *Stamm*, -es, ⸗e, stem.

WEISSER FLIEDER

Naß war der Tag, — die schwarzen Schnecken krochen,
Doch als die Nacht schlich durch die Gärten her,
Da war der weiße Flieder aufgebrochen,
Und über alle Mauern hing er schwer.

Und über alle Mauern tropften leise
Von bleichen Trauben Perlen groß und klar,
Und war ein Duften rings, durch das die Weise
Der Nachtigall wie Gold geflochten war.

Börries von Münchhausen

---

der *Flieder*, -s, lilac; die *Schnecke*, -n, snail; *kriechen*, o, o, to crawl; *her-schleichen*, i, i, to creep; *auf-brechen*, a, o, to burst open; *tropfen*, to drip; *bleich*, pale; die *Traube*, -n, cluster; das *Duften*, -s, fragrance; *rings*, all around; die *Weise*, -n, song; *flechten*, o, o, to weave.

EINEM JUNGEN MÄDCHEN

Ich sah dich immer nur mit Rosen
in der Hand . . .
ich sah dich immer nur mit fröhlichem Lachen,
tief im Herzen ein heimliches Lied . . .

So dacht ich einst, so müsse das Leben sein:
Rosen, Lachen und Sonnenschein
und tief hinter allem ein heimliches Lied!

Caesar Flaischlen

---

fröhlich, joyous, happy; *heimlich*, secret.

EIN FREIHEITSLIED

Es ist nun einmal so,
seit wir geboren sind:
die Blumen blühen wild und bunt,
wir aber mauern Wände
gegen den Wind.

Es wird wohl einmal sein,
wenn wir gestorben sind:
dann blühen die Blumen noch immer so
und über unsre Mauern
lacht der Wind.

Richard Dehmel

---

die *Freiheit*, freedom; *es ist nun einmal so*, such is life; *blühen*, to bloom; *bunt*, of many colors; *mauern*, to build; die *Wand*, ⸗e, wall.

DER ALTE GÄRTNER

In seinem Rosengarten
Der alte Gärtner geht.
Er hat nichts zu erwarten,
Er fühlt, es ist schon spät.

Mit seinen harten Händen
Hilft er dem jungen Trieb.
Er weiß, es wird bald enden,
Doch annoch hat er's lieb.

Richard von Schaukal

---

der *Gärtner*, -s, -, gardener; *erwarten*, to expect; der *Trieb*, -s, -e, young shoot; *enden*, to come to an end; *annoch*, still.

MORGEN

So oft die Sonne aufersteht,
Erneuert sich mein Hoffen
Und bleibet, bis sie untergeht,
Wie eine Blume offen;
Dann schlummert es ermattet
Im dunklen Schatten ein,
Doch eilig wacht es wieder auf
Mit ihrem ersten Schein.

Gottfried Keller

---

auferstehen, auferstand, auferstanden, to rise; *erneuern,* to revive; *einschlummern,* to fall asleep; *ermattet,* weary; *eilig,* quickly.

SCHÖNES, GRÜNES, WEICHES GRAS

Schönes, grünes, weiches Gras.
Drin
liege ich.
Mitten zwischen Butterblumen!
Über mir
warm,
der Himmel:
ein weites, zitterndes Weiß,
das mir die Augen langsam, ganz langsam
schließt.
Wehende Luft . . . ein zartes Summen.
Nun
bin ich fern
von jeder Welt,
ein sanftes Rot erfüllt mich ganz,
und deutlich spüre ich, wie die Sonne mir durchs Blut rinnt —
minutenlang.
Versunken alles. Nur noch ich.
Selig!

Arno Holz

---

weich, soft; *drin* = darinnen, in it; die *Butterblume*, -n, buttercup; *zittern*, to quiver, vibrate; *wehen*, to stir; *zart*, gentle; *summen*, to hum, buzz; *sanft*, soft; *erfüllen*, to fill; *deutlich*, distinct; *spüren*, to feel; *rinnen*, a, o, to flow; *minutenlang*, for minutes; *versinken*, a, u, to vanish; *selig*, happy, blissful.

MARCHEN

Jüngst sah ich den Wind,
Das himmlische Kind,
Als ich träumend im Walde gelegen,
Und hinter ihm schritt
Mit trippelndem Tritt
Sein Bruder, der Sommerregen.

In den Wipfeln da ging's
Nach rechts und nach links,
Als wiegte der Wind sich im Bettchen;
Und sein Brüderchen sang:
Di Binke di Bank
Und schlüpfte von Blättchen zu Blättchen.

Weiß selbst nicht, wie's kam,
Gar zu wundersam
Es regnete, tropfte und rauschte,
Daß ich selber ein Kind,
Wie Regen und Wind,
Das Spielen der beiden belauschte.

Dann wurde es Nacht,
Und eh' ich's gedacht,

---

das *Märchen*, -s, -, fairy-tale; *jüngst*, recently; *himmlisch*, heavenly; *schreiten*, schritt, geschritten, to walk, step; *mit trippelndem Tritt*, with tripping step; *in den Wipfeln da ging's*, the tree-tops were moving; *wiegen*, to rock; *di Binke di Bank*, e.g.: meaningless words imitating the sound of dripping raindrops on the leaves; *schlüpfen*, to slip; *wie's kam*, how it happened; *wundersam*, fairy-like; *tropfen*, to drip; *rauschen*, to rustle; *belauschen*, to watch and listen.

Waren fort, die das Märchen mir schufen.
Ihr Mütterlein
Hatte sie fein
Hinauf in den Himmel gerufen!

Arno Holz

---

schaffen, schuf, geschaffen, to create, tell.

DAS WANDERN

Das Wandern ist des Müllers Lust,
Das Wandern!
Das muß ein schlechter Müller sein,
Dem niemals fiel das Wandern ein,
Das Wandern.

Vom Wasser haben wir's gelernt,
Vom Wasser!
Das hat nicht Rast bei Tag und Nacht,
Ist stets auf Wanderschaft bedacht,
Das Wasser.

Das sehn wir auch den Rädern ab,
Den Rädern!
Die gar nicht gerne stille stehn,
Die sich mein Tag nicht müde drehn,
Die Räder.

Die Steine selbst, so schwer sie sind,
Die Steine!
Sie tanzen mit den muntern Reihn
Und wollen gar noch schneller sein,
Die Steine.

---

das *Wandern*, -s, to wander; der *Müller*, -s, -, miller; die *Lust*, joy, desire, delight; *es fällt mir ein*, it occurs to me; die *Rast*, rest; *auf Wanderschaft bedacht*, thinking of wandering; *ab-sehen*, a, e, einem etwas, to learn a th. by watching a p.; das *Rad*, -es, ⸚er, wheel; *mein Tag* (= mein Lebtag) *nicht*, never (in one's life); *drehen sich*, tc turn; *den Reih(e)n mit-tanzen*, to join the dance; *munter*, gay; *gar*, even.

O Wandern, Wandern, meine Lust,
O Wandern!
Herr Meister und Frau Meisterin,
Laßt mich in Frieden weiter ziehn
Und wandern.

Wilhelm Müller

Meister und Meisterin, master and mistress, the employers of the young journeyman; *weiter-ziehen*, zog weiter, weitergezogen, to go (move) on.

JUNGGESELLEN SIND AUF REISEN

Ich bin mit meiner Mutter auf der Reise . . .
Wir fuhren über Frankfurt, Basel, Bern
Zum Genfer See, und dann ein Stück im Kreise.
Die Mutter schimpfte manchmal auf die Preise.
Jetzt sind wir in Luzern.

Die Schweiz ist schön. Man muß sich dran gewöhnen.
Man fährt auf Berge. Und man fährt auf Seen.
Und manchmal schmerzt der Leib von all dem Schönen. —
Man trifft es oft, daß Mütter mit den Söhnen
Auf Reisen gehn.

Das ist ein Glück: mit seiner Mutter fahren.
Weil Mütter doch die besten Frauen sind.
Sie reisten mit uns, als wir Knaben waren,
Und reisen nun mit uns, nach vielen Jahren,
Als wären sie das Kind.

Sie lassen sich die höchsten Gipfel zeigen.
Die Welt ist wieder wie ein Bilderbuch.
Sie können, wenn ein See ganz blau wird, schweigen,
Und haben stets, wenn sie in Züge steigen,
Angst um das Umschlagtuch.

---

der *Junggeselle*, -n, -n, bachelor; *auf Reisen*, travelling; der *Genfer See* -s, Lake Geneva; *ein Stück im Kreise fahren*, to take a round trip; *schimpfen*, to grumble; der *Preis*, -es, -e, price; *gewöhnen sich*, to get accustomed; *schmerzen*, to ache, pain; der *Leib*, -es, -er, body; *man trifft es*, it happens; der *Gipfel*, -s, -, summit; der *Zug*, -es, ⁓e, train; das *Umschlagtuch*, -s, ⁓er. shawl.

Erst ist man sich noch etwas fremd. Wie immer,
Seit man fern von einander leben muß.
Jetzt schläft man, wie dereinst, im selben Zimmer.
Und sagt: „Schlaf' wohl!“ und löscht den Lampenschimmer.
Und gibt sich einen Kuß.

Doch eh man's wieder lernt, ist es zu Ende!
Wir bringen unsre Mütter bis nach Haus.
Frau Haubold sagt, daß sie das reizend fände.
Dann schütteln wir den Müttern kurz die Hände
Und fahren wieder in die Welt hinaus.

Erich Kästner

---

sich fremd sein, not to feel at ease (with a p.); *dereinst*, in days of old; *löschen*, to extinguish, turn out; der *Schimmer*, -s, light; der *Kuß*, -es, ⸚e, kiss; *etwas reizend finden*, to consider a th. charming; *schütteln*, to shake.

WIR GEHEN AM MEER

Wir gehen am Meer im tiefen Sand,
Die Schritte schwer und Hand in Hand,
Das Meer geht ungeheuer mit,
Wir werden kleiner mit jedem Schritt.
Wir werden endlich winzig klein
Und treten in eine Muschel ein.
Hier wollen wir tief wie Perlen ruhn
Und werden stets schöner, wie die Perlen tun.

Max Dauthendey

---

das *Meer*, -s, -e, sea; der *Schritt*, -s, -e, step; . . . *geht ungeheuer mit*, the mighty sea goes with us; *winzig*, tiny, — (adv.), very; *ein-treten*, a, e, to enter; die *Muschel*, -n, shell; die *Perle*, -n, pearl; *stets*, always.

DORFKIRCHE IM SOMMER

Schläfrig singt der Küster vor,
Schläfrig singt auch die Gemeinde.
Auf der Kanzel der Pastor
Betet still für seine Feinde.

Dann die Predigt, wunderbar,
Eine Predigt ohnegleichen.
Die Baronin weint sogar
Im Gestühl, dem wappenreichen.

Amen, Segen, Türen weit,
Orgelton und letzter Psalter.
Durch die Sommerherrlichkeit
Schwirren Schwalben, flattern Falter.

Detlev von Liliencron

---

schläfrig, sleepy; der *Küster*, -s, -, sexton; *vor-singen*, a, u, to lead the singing; die *Gemeinde*, -n, congregation; die *Kanzel*, -n, pulpit; die *Predigt*, -en, sermon; *ohnegleichen*, without equal; das *Gestühl*, -s, pew; *wappenreich*, rich in coats-of-arms; der *Segen*, -s, blessing; der *Orgelton*, -s, ⸗e, organ music; die *Herrlichkeit*, splendor; *schwirren*, to skim; *flattern*, to flutter; der *Falter*, -s, -, butterfly.

DER ARBEITSMANN

Wir haben ein Bett, wir haben ein Kind,
mein Weib!
Wir haben auch Arbeit, und gar zu zweit,
und haben die Sonne und Regen und Wind,
und uns fehlt nur eine Kleinigkeit,
um so frei zu sein, wie die Vögel sind:
Nur Zeit.

Wenn wir Sonntags durch die Felder gehn,
mein Kind,
und über den Ähren weit und breit
das blaue Schwalbenvolk blitzen sehn:
o, dann fehlt uns nicht das bißchen Kleid,
um so schön zu sein, wie die Vögel sind:
Nur Zeit.

Nur Zeit! wir wittern Gewitterwind,
wir Volk.
Nur eine kleine Ewigkeit;
uns fehlt ja nichts, mein Weib, mein Kind,
als all das, was durch uns gedeiht,
um so kühn zu sein, wie die Vögel sind:
Nur Zeit!

Richard Dehmel

---

gar zu zweit, even both of us; *es fehlt uns*, we lack; *eine Kleinigkeit*, one small thing; die *Ähre*, -n, ear of grain; *das Schwalbenvolk*, -s, the swallows; *blitzen*, to flash, shoot; das *bißchen Kleid*, the little fineries; *wir wittern Gewitterwind*, we sense a tempest wild; *nur eine kleine Ewigkeit*, but a short eternity; *gedeihen*, ie, ie, to grow, bloom; *kühn*, bold.

ABENDLIED

Der Mond ist aufgegangen,
Die goldnen Sternlein prangen
Am Himmel hell und klar;
Der Wald steht schwarz und schweiget,
Und aus den Wiesen steiget
Der weiße Nebel wunderbar.

Wie ist die Welt so stille
Und in der Dämmrung Hülle
So traulich und so hold!
Als eine stille Kammer,
Wo ihr des Tages Jammer
Verschlafen und vergessen sollt.

Matthias Claudius

---

prangen, to shine; *klar*, clear; die *Wiese*, -n, meadow; *steigen*, ie, ie, to rise; der *Nebel*, -s, -, fog, mist; *in der Dämmrung Hülle*, in the (shroud of) deepening twilight; *traulich*, homey, cozy; *hold*, dear, sweet; die *Kammer*, -n, chamber, room; der *Jammer*, -s, sorrow; *verschlafen*, ie, a, to forget in one's sleep.

WANDERERS NACHTLIED

Über allen Gipfeln
Ist Ruh,
In allen Wipfeln
Spürest du
Kaum einen Hauch;
Die Vögelein schweigen im Walde.
Warte nur, balde
Ruhest du auch.

Johann Wolfgang Goethe

---

der *Gipfel*, -s, -, hill-top; der *Wipfel*, -s, -, tree-top; *spüren*, to feel; der *Hauch*, -s, breath of air, breeze.

STIMMEN DER NACHT

Weit tiefe bleiche stille Felder —
O wie mich das freut,
Über alle, alle Täler, Wälder
Die prächtige Einsamkeit!

Aus der Stadt nur schlagen die Glocken
Über die Wipfel herein,
Ein Reh hebt den Kopf erschrocken
Und schlummert gleich wieder ein.

Der Wald aber rühret die Wipfel
Im Schlaf von der Felsenwand,
Denn der Herr geht über die Gipfel
Und segnet das stille Land.

Joseph von Eichendorff

---

bleich, pale, dim; *prächtig*, splendid; die *Einsamkeit*, solitude; die *Glocke*, -n, clock, bell; der *Wipfel*, -s, -, tree-top; das *Reh*, -s, -e, deer; *erschrocken*, frightened; *ein-schlummern*, to fall asleep; *rühren*, to move; die *Felsenwand*, ⸚e, cliff; der *Herr*, -n, the Lord; der *Gipfel*, -s, -, hill-top; *segnen*, to bless.

MANCHMAL GESCHIEHT ES . . .

Manchmal geschieht es in tiefer Nacht,
daß der Wind wie ein Kind erwacht,
und er kommt die Allee allein
leise, leise ins Dorf herein.

Und er tastet bis an den Teich,
und dann horcht er herum:
und die Häuser sind alle bleich,
und die Eichen sind stumm . . .

Rainer Maria Rilke

---

manchmal, once in a while; die *Allee*, -n, road, avenue; *tasten*, to feel one's way; der *Teich*, -es, -e, pond; *herum-horchen*, to listen; *bleich*, pale; die *Eiche*, -n, oak; *stumm*, silent.

MANCHMAL

Manchmal wenn ein Vogel ruft
Oder ein Wind geht in den Zweigen
Oder ein Hund bellt im fernsten Gehöft,
Dann muß ich lange lauschen und schweigen.

Meine Seele flieht zurück,
Bis wo vor tausend vergessenen Jahren
Der Vogel und der wehende Wind
Mir ähnlich und meine Brüder waren.

Meine Seele wird ein Baum
Und ein Tier und ein Wolkenweben.
Verwandelt und fremd kehrt sie zurück
Und fragt mich. Wie soll ich Antwort geben?

Hermann Hesse

---

manchmal, sometimes; *gehen* (Wind), to stir; *bellen*, to bark; das *Gehöft*, -es, -e, farm; *lauschen*, to listen; *wehen*, to blow; *ähnlich sein*, to be like; *ein Wolkenweben*, a cloud; *verwandeln*, to change; *fremd*, estranged; *zurückkehren*, to return.

TRAUMREISELIED

Wir fahren mit dem Traumschiff fort
In eine große, tiefe Reise.
Ein altes Liebeszauberwort
Löst uns vom Lande leise.

Wir tauchen in die fremde Welt,
Von Wind und Schlaf hinabgenommen.
Wir haben keinen Gast bestellt
Und wollen nicht mehr wiederkommen.

Die blaue Schlummerwoge steigt
Gelassen aus den untern Meeren,
In die sich kühl die Seele neigt
Von goldnen Flüssen und Galeeren.

Friedrich Schnack

---

das *Zauberwort*, -es, -e, magic word, charm; *lösen*, to separate; *tauchen*, to sink; *bestellen*, to invite; die *Schlummerwoge*, -n, wave of slumber; *steigen*, ie, ie, to rise; *gelassen*, calm; *aus den untern Meeren*, from the depths of the sea (=subconscious); *neigen sich*, to bow, enter; die *Galeere*, -n, galley.

ZARATHUSTRAS LIED

O Mensch! Gib acht!
Was spricht die tiefe Mitternacht?
„Ich schlief, ich schlief —,
„Aus tiefem Traum bin ich erwacht: —
„Die Welt ist tief,
„Und tiefer als der Tag gedacht,
„Tief ist ihr Weh —,
„Lust — tiefer noch als Herzeleid!
„Weh spricht: Vergeh!
„Doch alle Lust will Ewigkeit! —
„Will tiefe, tiefe Ewigkeit."

Friedrich Nietzsche

---

acht-geben, a, e, to pay attention, listen; die *Mitternacht*, midnight; das *Weh*, -s, woe, pain; die *Lust*, joy; das *Herzeleid*, -s, soreness of heart, sorrow; *vergehen*, verging, vergangen, to pass (away); die *Ewigkeit*, eternity.

IM PARK

Ein ganz kleines Reh stand am ganz kleinen Baum
Still und verklärt wie im Traum.
Das war des Nachts elf Uhr zwei.
Und dann kam ich um vier
Morgens wieder vorbei,
Und da träumte noch immer das Tier.
Nun schlich ich mich leise — ich atmete kaum —
Gegen den Wind an den Baum
Und gab dem Reh einen ganz kleinen Stips.
Und da war es aus Gips.

Joachim Ringelnatz

---

ganz (adv.), very; das *Reh*, -s, -e, deer; *verklärt*, serene; *schleichen*, i, i to sneak; *atmen*, to breathe; der *Stips*, tap; der *Gips*, -es, plaster.

DER SCHAUKELSTUHL AUF DER VERLASSENEN TERRASSE

„Ich bin ein einsamer Schaukelstuhl
und wackel im Winde, im Winde.

Auf der Terrasse, da ist es kuhl,
und ich wackel im Winde, im Winde.

Und ich wackel und nackel den ganzen Tag.
Und es nackelt und rackelt die Linde.
Wer weiß, was sonst wohl noch wackeln mag
Im Winde, im Winde, im Winde."

Christian Morgenstern

---

der *Schaukelstuhl*, -s, ⸚e, rocking chair; *verlassen* (adj.), deserted; die *Terrasse*, -n, terrace, porch; *wackeln*, to rock; *kuhl* = kühl, cool; *nackeln, rackeln* (onomatopoetic), to rock, creak.

HERBSTBILD

Dies ist ein Herbsttag, wie ich keinen sah!
Die Luft ist still, als atmete man kaum,
Und dennoch fallen raschelnd, fern und nah,
Die schönsten Früchte ab von jedem Baum.

O stört sie nicht, die Feier der Natur!
Dies ist die Lese, die sie selber hält,
Denn heute löst sich von den Zweigen nur,
Was vor dem milden Strahl der Sonne fällt.

Friedrich Hebbel

---

atmen, to breathe; *dennoch*, nevertheless; *rascheln*, to rustle; *stören*, to disturb; die *Feier*, -n, celebration, fête; die *Lese*, harvest; *sich lösen*, to get loose, fall; der *Strahl*, -s, -en, ray.

HERBST

Die Blätter fallen, fallen wie von weit,
als welkten in den Himmeln ferne Gärten;
sie fallen mit verneinender Gebärde.

Und in den Nächten fällt die schwere Erde
aus allen Sternen in die Einsamkeit.

Wir alle fallen. Diese Hand da fällt.
Und sieh dir andre an: es ist in allen.

Und doch ist einer, welcher dieses Fallen
unendlich sanft in seinen Händen hält.

Rainer Maria Rilke

---

welken, to wither; *mit verneinender Gebärde*, with a resigned gesture; die *Einsamkeit*, loneliness, solitude; *unendlich sanft*, ever so gently.

DIE STILLE STADT

Liegt eine Stadt im Tale,
ein blasser Tag vergeht;
es wird nicht lange dauern mehr,
bis weder Mond noch Sterne,
nur Nacht am Himmel steht.

Von allen Bergen drücken
Nebel auf die Stadt;
es dringt kein Dach, nicht Hof noch Haus,
kein Laut aus ihrem Rauch heraus,
kaum Türme noch und Brücken.

Doch als den Wandrer graute,
da ging ein Lichtlein auf im Grund;
und durch den Rauch und Nebel
begann ein leiser Lobgesang
aus Kindermund.

Richard Dehmel

---

blaß, pale, dim; *vergehen*, verging, vergangen, to pass; *drücken*, to press; der *Nebel*, -s, -, fog; *heraus-dringen*, a, u, to emerge; das *Dach*, -es, ⸗er, roof; der *Hof*, -es, ⸗e, homestead; der *Laut*, -s, -e, sound; der *Turm*, -es, ⸗e, tower; die *Brücke*, -n, bridge; *es graut mich*, I shudder, feel uncanny; der *Grund*, -es, ground, valley; der *Lobgesang*, -s, ⸗e, song of praise, hymn.

DUNKEL WIRD ES, WINTER WIRD ES UND NACHT

Dunkel wird es, Winter wird es und Nacht.
Schließe die Läden, laß nicht die Finsternis ein.
Entzünde die Kerze. Das Feuer im Herd ist entfacht.
Und wir sind allein.

Sing mir ein Lied vom Sommer, vom Sommer, der war.
Draußen beginnt es leise, leise zu schnein.
Aber ich seh' nur im Kerzenschimmer dein Haar,
Und wir sind allein.

War das der Sommer, zu dem wir kaum noch erwacht?
War das der Tag, und muß es Abend schon sein?
Dunkel wird es, Winter wird es und Nacht,
Und wir sind allein.

Siegfried von Vegesack

---

der *Laden*, -s, =, shutter; die *Finsternis*, darkness; *entzünden*, to light; die *Kerze*, -n, candle; der *Herd*, -s, -e, hearth, fireplace; *entfachen*, to kindle; der *Schimmer*, -s, light; *erwachen*, to awaken.

HELLER MORGEN

Als ich schläfrig heut erwachte,
— Und es war die Kirchenzeit, —
Hörte ich's am Glockenklange,
Daß es über Nacht geschneit.

Denn in meinem hellen Zimmer
Klang so hell der Glockenschlag,
Daß ich schon im Traume wußte:
Heute wird ein heller Tag.

Als ich froh die Läden aufstieß,
Trug die Welt ein weißes Kleid, —
Meine ganze Seele wurde
Glänzend hell und weiß und weit!

Börries von Münchhausen

---

schläfrig, sleepy; *erwachen*, to wake up; *hören am*, to know by; der *Glockenklang*, -s, ⸚e, sound of the bells; der *Glockenschlag*, -s, ⸚e, striking of the bells; der *Laden*, -s, ⸚, shutter; *auf-stoßen*, ie, o, to push open; *glänzend*, shining.

VOM KRIEGE

DAS IST DER KRIEG!

„Gelt, Mutter, gelt, das ist der Krieg,
Wenn hoch vom Turm die Glocke läutet,
Wenn dumpf ihr Schlag uns neuen Sieg
Und wieder neuen Ruhm bedeutet!

„Wenn auf dem Platz die Musik steht,
Und wenn die Leute alle lauschen,
Und wenn es durch die Reihen geht,
Als wie des fernen Waldes Rauschen!

„Das ist der Krieg, gelt, Mütterlein,
Wenn stolz die deutschen Banner wehen,
Und wenn sich alle Menschen freu'n,
Und wenn wir nicht zur Schule gehen? — "

Die Mutter sann — die Mutter schwieg —
Dann sagte sie leise zu dem Kleinen:
„Mein liebes Kind, das ist der Krieg,
Wenn rings im Land die Mütter weinen! — "

Ph. Schaffert

---

gelt, surely; der *Turm*, -es, ⸗e, tower; die *Glocke*, -n, bell; *läuten*, to ring; *dumpf*, deep, hollow; der *Schlag*, -es, ⸗e, sound; der *Sieg*, -es, -e, victory; der *Ruhm*, -es, glory; der *Platz*, -es, ⸗e, town square; *die Musik steht*, the band is playing; *lauschen*, to listen; die *Reihe*, -n, rank, file; *als wie* = wie, just like; das *Rauschen*, -s, rustling; *stolz*, proud; das *Banner*, -s, -, flag; *wehen*, to fly; *sinnen*, a, o, to ponder; *rings im*, all over.

ES LIESS EIN JEDER FRONTSOLDAT

Es ließ ein jeder Frontsoldat
Ein Stückchen Herz im Stacheldraht.

Ich lehne an der Schulterwehr
Und weiß das kleine Lied nicht mehr.

Ein kleines Lied wie Glockenspiel,
Ich sang es doch als Junge viel.

Wie kam es mir nur aus dem Sinn,
Ging kaum ein Jahr darüber hin?

Ich lehne an der Schulterwehr
Und weiß mein kleines Lied nicht mehr.

Martin von Katte Zolchow

---

der *Frontsoldat*, -en, -en, front-line soldier; der *Stacheldraht*, -s, barbed wire; *lehnen*, to lean; die *Schulterwehr*, parapet, breastwork; das *Glockenspiel*, -s, chimes, sound of bells; *aus dem Sinn kommen*, to forget; *hin-gehen*, ging hin, hingegangen, to pass.

BRÜDER

Es lag schon lang ein Toter vor unserm Drahtverhau,
Die Sonne auf ihn glühte, ihn kühlte Wind und Tau.

Ich sah ihm alle Tage in sein Gesicht hinein,
Und immer fühlt' ich's fester: Es muß mein Bruder sein.

Ich sah in allen Stunden, wie er so vor mir lag,
Und hörte seine Stimme aus frohem Friedenstag.

Oft in der Nacht ein Weinen, das aus dem Schlaf mich trieb:
Mein Bruder, lieber Bruder, hast du mich nicht mehr lieb?

Bis ich, trotz allen Kugeln, zur Nacht mich ihm genaht
Und ihn geholt. — Begraben: — Ein fremder Kamerad.

Es irrten meine Augen. — Mein Herz, du irrst dich nicht.
Es hat ein jeder Tote des Bruders Angesicht.

Heinrich Lersch

---

der *Tote*, -n, -n, dead man, corpse; das *Drahtverhau*, -s, -e, wire entanglement; *glühen*, to glow, burn; *kühlen*, to cool; der *Tau*, -s, dew; *fest*, firm, clear; *weinen*, to weep; *treiben*, ie, ie, to rouse; die *Kugel*, -n, bullet; *nahen sich*, to approach; *begraben*, u, a, to bury; *fremd*, strange; der *Kamerad*, -en, -en, comrade; *irren*, to err, be mistaken; das *Angesicht*, -s, face, appearance.

KRIEGSENDE

1

Das Volk, das Vierzehn hinein in die Gräben stieg,
Ist niedergetreten vom großen Mörder Krieg.

Ihr sucht und fragt, (und wißt doch die Antwort schon!):
„Wo ist mein Bruder, mein Mann, mein Vater, mein Sohn?" —

Das Volk, das Achtzehn hervor aus den Gräben kam,
Ist ein anderes Volk geworden in Grauen und Gram.

Wir sehn ihm traurig in das zerfurchte Gesicht,
Wir suchen Deutschland darin — und finden es nicht!

2

Und doch, du Fremdling, — da hast du meine Hand:
Mein Bruder bist du, — und habe dich nie gekannt!

Geschmälert von Hunger, von Wunden gelähmt und zerfetzt,
Brüder sind wir Überlebenden jetzt.

Auch du, du suchst ja, und findest dein Volk nicht mehr,
Auch dir ist bitter die süße Wiederkehr.

Mein Bruder, komm und reich mir deine Hand:
Gemeinsam baun wir das neue Vaterland!

Börries von Münchhausen

---

der *Graben*, -s, ⸚, trench; *nieder-treten*, a, e, to trample down; der *Mörder*, -s, -, murderer; das *Grauen*, -s, horror; der *Gram*, -s, sorrow; *zerfurcht*, care-worn; der *Fremdling*, -s, -e, stranger; *geschmälert*, reduced, made lean; *gelähmt*, crippled; *zerfetzt*, mutilated; *überleben*, to survive; die *Wiederkehr*, return; *reichen*, to extend, give; *gemeinsam*, together.

MONOLOG DES BLINDEN

Alle, die vorübergehn,
gehn vorbei.
Sieht mich, weil ich blind bin, keiner stehn?
Und ich steh seit drei . . .

Jetzt beginnt es noch zu regnen!
Wenn es regnet, ist der Mensch nicht gut.
Wer mir dann begegnet, tut
so, als würde er mir nicht begegnen.

Ohne Augen steh ich in der Stadt.
Und sie dröhnt, als stünde ich am Meer.
Abends lauf ich hinter einem Hunde her,
der mich an der Leine hat.

Meine Augen hatten im August
ihren zwölften Sterbetag.
Warum traf der Splitter nicht die Brust
und das Herz, das nicht mehr mag?

Ach, kein Mensch kauft handgemalte
Ansichtskarten, denn ich hab kein Glück.
Einen Groschen, Stück für Stück!
Wo ich selber sieben Pfennig zahlte.

---

tun so, als . . ., to pretend to . . .; *dröhnen*, to roar; *her-laufen hinter*, to follow; die *Leine*, -n, leash; *meine Augen hatten ihren zwölften Sterbetag*, I celebrated the twelfth anniversary of the loss of my eye-sight; der *Splitter*, -s, -, splinter, shell-slug; *handgemalt*, handpainted; die *Ansichtskarte*, -n, picture-postcard; der *Groschen*, -s, -, ten pfennigs; *zahlen* = bezahlen, to pay.

Früher sah ich alles so wie Sie:
Sonne, Blumen, Frau und Stadt.
Und wie meine Mutter ausgesehen hat,
Das vergeß ich nie.

Krieg macht blind. Das sehe ich an mir.
Und es regnet. Und es geht der Wind.
Ist denn keine fremde Mutter hier,
die an ihre eignen Söhne denkt?
Und kein Kind,
dem die Mutter etwas für mich schenkt?

Erich Kästner

---

gehen (Wind), ging, gegangen, to blow; *keine fremde* . . ., no other . . .

VOM TODE UND VON GOTT

DAS EISENBAHNGLEICHNIS

Wir sitzen alle im gleichen Zug
und fahren quer durch die Zeit.
Wir sehen hinaus. Wir sahen genug.
Wir fahren alle im gleichen Zug.
Und keiner weiß, wie weit.

Ein Nachbar schläft, ein andrer klagt,
ein dritter redet viel.
Stationen werden angesagt.
Der Zug, der durch die Jahre jagt,
kommt niemals an sein Ziel.

Wir packen aus, wir packen ein.
Wir finden keinen Sinn.
Wo werden wir wohl morgen sein?
Der Schaffner schaut zur Tür herein
und lächelt vor sich hin.

Auch er weiß nicht, wohin er will.
Er schweigt und geht hinaus.
Da heult die Zugsirene schrill!
Der Zug fährt langsam und hält still.
Die Toten steigen aus.

---

das *Eisenbahngleichnis*, -ses, Railroad Parable; *gleich*, same; *quer durch*, straight through; *klagen*, to complain; *an-sagen*, to announce; *jagen*, to speed; das *Ziel*, -s, -e, destination, goal; *aus-packen*, to unpack; der *Sinn*, -es, -e, sense; der *Schaffner*, -s, -, conductor; *vor sich hin lächeln*, to smile to o.s.; *heulen*, to shriek; die *Zugsirene*, -n, train whistle; *aus-steigen*, ie, ie, to get off.

Ein Kind steigt aus. Die Mutter schreit.
Die Toten stehen stumm
am Bahnsteig der Vergangenheit.
Der Zug fährt weiter, er jagt durch die Zeit,
Und niemand weiß, warum.

Die erste Klasse ist fast leer.
Ein feister Herr sitzt stolz
im roten Plüsch und atmet schwer.
Er ist allein und spürt das sehr.
Die Mehrheit sitzt auf Holz.

Wir reisen alle im gleichen Zug
zur Gegenwart in spe.
Wir sehen hinaus. Wir sahen genug.
Wir sitzen alle im gleichen Zug
und viele im falschen Coupé.

Erich Kästner

---

stumm, silent; der *Bahnsteig*, -s, -e, railway-platform; die *Vergangenheit*, past; *weiter-fahren*, u, a, to move on; *fast*, almost; *feist*, corpulent, fat; der *Plüsch*, -es, plush; *atmen*, to breathe; *spüren*, to feel; die *Mehrheit*, majority; *zur Gegenwart in spe*, to our future present (toward an existence such as we long for); das *falsche Coupé*, -s, wrong compartment.

AUF WANDERUNG

Sei nicht traurig, bald ist es Nacht,
Da sehn wir über dem bleichen Land
Den kühlen Mond, wie er heimlich lacht,
Und ruhen Hand in Hand.

Sei nicht traurig, bald kommt die Zeit,
Da haben wir Ruh. Unsre Kreuzlein stehen
Am hellen Straßenrand zu zweit,
Und es regnet und schneit,
Und die Winde kommen und gehen.

Hermann Hesse

Auf Wanderung, While Wandering; *bleich*, pale, silver; *heimlich*, secret(ly), to herself; das *Kreuz*, -es, -e, cross; der *Straßenrand*, -es, ⸚er, edge of the road; *zu zweit*, together.

DER TOD UND DAS MÄDCHEN

Das Mädchen:

Vorüber, ach vorüber
Geh, wilder Knochenmann!
Ich bin noch jung! Geh, Lieber,
Und rühre mich nicht an!

Der Tod:

Gib deine Hand, du schön und zart Gebild!
Bin Freund und komme nicht zu strafen.
Sei gutes Muts! Ich bin nicht wild!
Sollst sanft in meinen Armen schlafen!

Matthias Claudius

---

vorüber-gehen, ging vorüber, vorübergegangen, to pass by; der *Knochenmann*, -s, skeleton, Death; *an-rühren*, to touch; *zart*, delicate; das *Gebild*, -es, form; *strafen*, to punish; *sanft*, gentle.

DER TOD IST GROSS

Der Tod ist groß.
Wir sind die Seinen
lachenden Munds.
Wenn wir uns mitten im Leben meinen,
wagt er zu weinen
mitten in uns.

Rainer Maria Rilke

---

mitten in, in the (middle) midst of; *meinen*, to think, believe (ourselves to be); *wagen*, to dare.

DER GOTTSUCHER

Ich habe Gott gesucht und fand ihn nicht.
Ich schrie empor und bettelte ins Licht.
Da, wie ich weinend bin zurückgegangen,
Faßt's leise meine Schulter: „Ich bin hier,
Ich habe dich gesucht und bin bei dir." —
Und Gott ist mit mir heimgegangen.

Gustav Schüler

Der *Gottsucher*, -s, -, man seeking God; *empor-schreien*, ie, ie, to cry out; *betteln*, to beg; *fassen*, to touch.

FROMM

Der Mond scheint auf mein Lager,
ich schlafe nicht,
meine gefalteten Hände ruhen
in seinem Licht.

Meine Seele ist still, sie kehrte
von Gott zurück,
und mein Herz hat nur einen Gedanken:
dich und dein Glück.

Gustav Falke

Fromm, Pious; das *Lager*, -s, -, bed; *gefaltet*, folded; *zurück-kehren*, to return.

ES GEHT EINE TÜR . . .

Es geht eine Tür zu Gott hinein;
die Tür ist klein;
hat sie Raum
für dich und mich?
Kaum.
Jeder geh' getrost für sich.
Drinnen dann, wie hier zu Land,
gehn wir wieder Hand in Hand.

Friedrich Kayßler

Es geht . . . hinein, there is; der *Raum,* -s, ⸚e, room; *kaum,* hardly; *getrost,* confidently.

SCHÖNSTER HERR JESU

Schönster Herr Jesu,
Herrscher aller Enden,
Gottes und Marien Sohn,
dich will ich lieben,
dich will ich preisen,
du meines Herzens Freud' und Wonn'.

Schön sind die Felder,
schöner sind die Wälder
in der schönen Frühlingszeit;
Jesus ist schöner,
Jesus ist reiner,
der mein ganzes Herz erfreut.

Schön leucht' die Sonne,
schöner leucht' der Monde
und die Sternlein allzumal;
Jesus leucht' schöner,
Jesus leucht' reiner
als alle Engel im Himmelssaal.

Volkslied

Herrscher aller Enden, ruler of the Universe; *preisen*, to praise; die *Wonne*, -n, delight; *erfreuen*, to delight; *leuchten*, to shine; *allzumal*, all together; der *Himmelssaal*, -s, heaven.

ARM SEELCHEN

Dort droben, dort droben
Vor der himmlischen Tür,
Da steht eine arme Seele,
Schaut traurig herfür.

„Arm Seelchen, arm Seelchen,
Was stehest du hier?
Wenn ich dich anschaue,
So weinest du mir."

Was sollt' ich denn nicht weinen,
Mein gnädiger Gott!
Ich hab' ja übertreten
Die zehn Gebot'.

„Arm Seelchen, arm Seelchen,
Komm zu mir herein.
Da werden deine Kleider
Ja alle so rein.

„So rein und so weiß
Und so rein wie der Schnee,
Und so woll'n wir zusammen
Ins Himmelreich gehn."

Volkslied

---

dort droben, up there; *die himmlische Tür*, the Gates of Heaven; *arm*, poor, lost; *herfür*, about; *an-schauen*, to look at; *was* . . . = warum, why; *gnädig*, merciful; *ja*, since; *übertreten*, a, e, to trespass against; *die Gebote*, commandments; das *Himmelreich*, -s, kingdom of heaven.

BALLADEN

BALLADE

Und die Sonne machte den weiten Ritt
Um die Welt,
Und die Sternlein sprachen: „Wir reisen mit
Um die Welt";
Und die Sonne, sie schalt sie: „Ihr bleibt zu Haus!
Denn ich brenn euch die goldnen Äuglein aus
Bei dem feurigen Ritt um die Welt."

Und die Sternlein gingen zum lieben Mond
In der Nacht,
Und sie sprachen: „Du, der auf Wolken thront
In der Nacht,
Laß uns wandeln mit dir, denn dein milder Schein,
Er verbrennet uns nimmer die Äugelein."
Und er nahm sie, Gesellen der Nacht.

Nun, willkommen, Sternlein und lieber Mond,
In der Nacht!
Ihr versteht, was still in dem Herzen wohnt
In der Nacht.
Kommt und zündet die himmlischen Lichter an,
Daß ich lustig mit schwärmen und spielen kann
In den freundlichen Spielen der Nacht.

Ernst Moritz Arndt

---

der *Ritt*, -es, -e, ride, trip; *mit-reisen*, to travel, go along; *schelten*, a, o, to scold; *feurig*, fiery; *thronen*, to be enthroned; *wandeln*, to travel; der *Schein*, -s, shine, light; *verbrennen*, verbrannte, verbrannt, to burn; *nimmer*, never, at no time; der *Geselle*, -n, -n, companion; *willkommen!*, welcome!; *an-zünden*, to light; *himmlisch*, heavenly; *lustig*, gay, merry; *mit-schwärmen*, to join in revelling.

DER WEISSE HIRSCH

Es gingen drei Jäger wohl auf die Birsch,
Sie wollten erjagen den weißen Hirsch.

Sie legten sich unter den Tannenbaum,
Da hatten die Drei einen seltsamen Traum.

Der erste:
Mir hat geträumt, ich klopf' auf den Busch,
Da rauschte der Hirsch heraus, husch husch!

Der zweite:
Und als er sprang mit der Hunde Geklaff,
Da brannt' ich ihn auf das Fell, piff paff!

Der dritte:
Und als ich den Hirsch an der Erde sah,
Da stieß ich lustig ins Horn, trara!

So lagen sie da und sprachen, die Drei,
Da rannte der weiße Hirsch vorbei.

Und eh' die drei Jäger ihn recht gesehn,
So war er davon über Tiefen und Höhn.

Husch husch! piff paff! trara!

Ludwig Uhland

---

der *Hirsch*, -es, -e, stag; *wohl*, not to be translated; *auf die Birsch*, hunting; *erjagen*, to hunt, shoot; *seltsam*, strange; der *Busch*, -es, ⸚e, bush; *herausrauschen*, to jump out; das *Geklaff*, -s, barking; *auf das Fell brennen* (idiom), to shoot; *ins Horn stoßen*, to sound the horn; *lustig*, merry; *davon sein*, to be gone; *über Tiefen und Höhn*, through valleys and over hills.

ES FREIT' EIN WILDER WASSERMANN

Es freit' ein wilder Wassermann
In der Burg wohl über dem See,
Des Königs Tochter mußt' er han,
Die schöne, junge Lilofee.

Sie hörte drunten die Glocken gehn,
Im tiefen, tiefen See,
Wollt' Vater und Mutter wiedersehn,
Die schöne, junge Lilofee.

Und als sie vor dem Tore stand
Auf der Burg wohl über dem See,
Da neigt' sich Laub und grünes Gras
Vor der schönen, jungen Lilofee.

Und als sie aus der Kirche kam
Von der Burg wohl über dem See,
Da stand der wilde Wassermann
Vor der schönen, jungen Lilofee.

„Sprich, willst du hinunter gehn mit mir
Von der Burg wohl über dem See,
Deine Kindlein unten weinen nach dir,
Du schöne, junge Lilofee."

---

freien, to court, wed; der *Wassermann*, -s, merman; die *Burg*, -en, castle; *wohl:* not to be translated; *han* = haben; *drunten*, down there; *gehn* (Glocken), to ring; das *Tor*, -s, -e, gate; *neigen*, to bow; das *Laub*, -s, leaves; *hinunter*, down; *unten*, down there.

„Und eh' ich die Kindlein weinen laß'
Im tiefen, tiefen See,
Scheid' ich von Laub und grünem Gras,
Ich arme, junge Lilofee."

Volksballade

---

scheiden, ie, ie, to part.

DER WIRTIN TÖCHTERLEIN

Es zogen drei Bursche wohl über den Rhein,
Bei einer Frau Wirtin, da kehrten sie ein.

„Frau Wirtin! hat Sie gut Bier und Wein?
Wo hat Sie Ihr schönes Töchterlein?"

„Mein Bier und Wein ist frisch und klar,
Mein Töchterlein liegt auf der Totenbahr."

Und als sie traten zur Kammer hinein,
Da lag sie in einem schwarzen Schrein.

Der erste, der schlug den Schleier zurück
Und schaute sie an mit traurigem Blick:

„Ach! lebtest du noch, du schöne Maid!
Ich würde dich lieben von dieser Zeit."

Der zweite deckte den Schleier zu
Und kehrte sich ab und weinte dazu:

„Ach! daß du liegst auf der Totenbahr!
Ich hab' dich geliebet so manches Jahr."

---

die *Wirtin*, -nen, innkeeper's wife; der *Bursche*, -n, -n, lad, fellow; *ein-kehren*, to stop; *klar*, clear; die *Totenbahr*(e), bier; die *Kammer*, -n, chamber, (bed-)room; der *Schrein*, -s, -e, coffin; *zurück-schlagen*, u, a, to lift; der *Schleier*, -s, -, veil; der *Blick*, -s, -e, glance; die *Maid*, girl, maiden; *zu-decken*, to put back; *ab-kehren sich*, to turn away; *weinen*, to weep.

Der dritte hob ihn wieder sogleich
Und küßte sie an den Mund so bleich:

„Dich liebt' ich immer, dich lieb' ich noch heut,
Und werde dich lieben in Ewigkeit."

Ludwig Uhland

---

heben, o, o, to lift; *küssen*, to kiss; *bleich*, pale; die *Ewigkeit*, eternity.

DIE ALTE

Das junge Volk ist zum Tanze aus,
Die Muhme, die alte, sitzt einsam zu Haus.

Es denkt ihrer niemand; jung Volk ist heiter.
Sie hat ihren Ofen, was braucht sie noch weiter?

Die Alte lauscht, wie Musik erklingt,
Wie die Diele kracht und der Tanz sich schwingt.

Die Gedanken gehn, die Gedanken wandern
In alte Zeiten von einem zum andern.

Da ist's, als hörte die Tür sie gehn,
Als käm' es geschlichen auf leisen Zehn.

Es weht wie ein Hauch, es rührt ihr die Hand,
Vor ihr steht einer, den einst sie gekannt.

Der manchmal, so manchmal zum Tanz sie erlesen,
Als beide sie jung und voll Liebe gewesen.

„Dein Haar ist ja blond? Deine Wange ist rot?
Und bist doch gestorben und lange tot?

---

die *Muhme*, -n, aunt; *einsam*, lonely; *heiter*, gay; der *Ofen*, -s, ¨, stove; *was . . . weiter*, what else; *lauschen*, to listen; *erklingen*, a, u, to sound; die *Diele*, -n, boards, floor; *krachen*, to creak; *der Tanz schwingt sich*, the dance is in full swing; *da ist's* (ihr), then it seemed to her; *die Tür geht* = öffnet sich; *schleichen*, i, i, to creep, to move stealthily; *Zehn* = Zehen, toes; *wehen*, to stir; der *Hauch*, -s, breath (of air); *rühren*, to touch; *erlesen*, a, e, to choose.

Ein Licht um dich her und im Auge ein Glanz,
Als wollt'st mich noch einmal führen zum Tanz?"

Da lächelt so süß er und beugt sich hernieder,
Als wollt' er ein Sträußchen ihr stecken ans Mieder.

Der Alten wird es so wunderbar,
Wie niemals im Leben ihr, niemals war.

Musik ist zu Ende, der Tanz ist aus,
Jung Volk kommt heim, jung Volk kommt nach Haus.

„Da sitzt ja die Alte im Lehnstuhl noch immer,
Am kalten Ofen, im dunklen Zimmer?"

Sie zünden die Kerzen, sie schlagen Licht:
„Wie sie lächelt im Schlaf, wie so bleich ihr Gesicht."

Sie wollen sie wecken, niemand sie weckt.
Sie sehen erstaunt — sie sehen erschreckt:

„Derweil wir tanzten — derweilen wir sprangen,
Ist die Muhme, die alte, sterben gegangen."

Ernst von Wildenbruch

---

der *Glanz*, -es, light, sparkle; *hernieder-beugen sich*, to bend down; das *Sträußchen*, -s, -, bouquet; *stecken*, to fasten; das *Mieder*, -s, -, bodice; *es wird mir . . .*, I feel . . .; *der Tanz ist aus*, the dance is over; *da sitzt ja . . .*, why, there sits . . .; der *Lehnstuhl*, -s, ⸚e, arm-chair; *zünden*, to light; die *Kerze*, -n, candle; *bleich*, pale; *wecken*, to awaken; *erstaunt*, astonished; *erschreckt*, startled; *derweil* = während, while; *springen*, a, u, to revel.

LORELEI

Es ist schon spät, es wird schon kalt,
Was reit'st du einsam durch den Wald?
Der Wald ist lang, du bist allein,
Du schöne Braut! Ich führ' dich heim!

„Groß ist der Männer Trug und List,
Vor Schmerz mein Herz gebrochen ist,
Wohl irrt das Waldhorn her und hin,
O flieh! Du weißt nicht, wer ich bin."

So reich geschmückt ist Roß und Weib,
So wunderschön der junge Leib,
Jetzt kenn' ich dich — Gott steh mir bei!
Du bist die Hexe Lorelei.

„Du kennst mich wohl — von hohem Stein
Schaut still mein Schloß tief in den Rhein.
Es ist schon spät, es wird schon kalt,
Kommst nimmermehr aus diesem Wald!"

Joseph von Eichendorff

---

einsam, lonely; die *Braut*, ⸗e, bride, sweetheart; der *Trug*, -es, deception; die *List*, cunning; *das Waldhorn irrt her und hin*, the sound of the hunter's horn strays here and there; *schmücken*, to adorn; das *Roß*, -es, -e, horse; der *Leib*, -es, -er, body; *bei-stehen*, stand bei, beigestanden, to help; die *Hexe*, -n, witch; der *Stein*, -es, -e, stone, rock; *nimmermehr*, never(-more).

ERLKÖNIG

Wer reitet so spät durch Nacht und Wind?
Es ist der Vater mit seinem Kind;
Er hat den Knaben wohl in dem Arm,
Er faßt ihn sicher, er hält ihn warm.

Mein Sohn, was birgst du so bang dein Gesicht? —
Siehst, Vater, du den Erlkönig nicht?
Den Erlenkönig mit Kron' und Schweif? —
Mein Sohn, es ist ein Nebelstreif. —

„Du liebes Kind, komm, geh mit mir!
Gar schöne Spiele spiel' ich mit dir;
Manch bunte Blumen sind an dem Strand;
Meine Mutter hat manch gülden Gewand."

Mein Vater, mein Vater, und hörest du nicht,
Was Erlenkönig mir leise verspricht? —
Sei ruhig, bleibe ruhig, mein Kind;
In dürren Blättern säuselt der Wind. —

„Willst, feiner Knabe, du mit mir gehn?
Meine Töchter sollen dich warten schön;
Meine Töchter führen den nächtlichen Reihn,
Und wiegen und tanzen und singen dich ein."

Erlkönig: name of the king of the elves; *fassen*, to hold; *bergen*, a, o, to hide; *bang*, afraid; die *Krone*, -n, crown; der *Schweif*, -s, -e, tail, train; der *Nebelstreif*, -s, -en, streak of fog; *gar*, very; *bunt*, many colored; der *Strand*, -s, bank, shore; *gülden Gewand*, golden dress; *dürr*, dry, withered; *säuseln*, to rustle; *warten*, to tend, care; *nächtlich*, nightly; der *Reih(e)n*, -s, -, dance; *ein-wiegen und ein-singen*, to rock and sing to sleep.

Mein Vater, mein Vater, und siehst du nicht dort
Erlkönigs Töchter am düstern Ort? —
Mein Sohn, mein Sohn, ich seh' es genau;
Es scheinen die alten Weiden so grau. —

„Ich liebe dich, mich reizt deine schöne Gestalt;
Und bist du nicht willig, so brauch' ich Gewalt."
Mein Vater, mein Vater, jetzt faßt er mich an!
Erlkönig hat mir ein Leids getan! —

Dem Vater grauset's, er reitet geschwind,
Er hält in den Armen das ächzende Kind,
Erreicht den Hof mit Mühe und Not;
In seinen Armen das Kind war tot.

Johann Wolfgang Goethe

---

düster, dark, dusky; die *Weide*, -n, willow; *reizen*, to charm; die *Gestalt*, -en, figure, form; *willig*, willing; *brauchen* = gebrauchen, to use; die *Gewalt*, force; *an-fassen*, to seize; *ein Leid(s) tun*, to do harm; *grausen*, to shudder; *geschwind*, fast; *ächzen*, to moan; *erreichen*, to reach; der *Hof*, -es, ⸚e, farm, home; *mit Mühe und Not*, with much difficulty.

DIE GLOCKE IM MEER

Ein Fischer hatte zwei kluge Jungen,
Hat ihnen oft ein Lied vorgesungen;
Es treibt eine Wunderglocke im Meer,
Es freut ein gläubig Herze sehr,
Das Glockenspiel zu hören.

Der eine sprach zum andern Sohn:
Der alte Mann verkindet schon.
Was singt er das dumme Lied immerfort;
Ich hab manchen Sturm gehört an Bord,
Noch nie eine Wunderglocke.

Der andre sprach: Wir sind noch jung,
Er singt aus tiefer Erinnerung.
Ich glaube, man muß viele Fahrten bestehn,
Um dem großen Meer auf den Grund zu sehn;
Dann hört man es auch wohl läuten.

Und als der Vater gestorben war,
Fuhren sie weg mit braunblondem Haar.
Und als sie sich grauhaarig wiedertrafen,
Dachten sie eines Abends im Hafen
An die Wunderglocke.

---

die *Glocke*, -n, bell; der *Fischer*, -s, -, fisherman; *klug*, clever; *vor-singen*, a, u, to sing to; *treiben*, ie, ie, to float; die *Wunderglocke*, magic bell; *gläubig*, believing; das *Glockenspiel*, -s, chimes; *verkinden*, to become childish; *immerfort*, all the time; die *Erinnerung*, -en, memory; *eine Fahrt bestehn*, to experience a voyage; *auf den Grund sehn*, to see to the very depths; *läuten*, to ring; *weg*, away; *grauhaarig*, gray-haired; der *Hafen*, -s, -, harbor.

Der eine sprach, verdrossen und alt:
Ich kenne das Meer und seine Gewalt.
Ich hab mich zuschanden auf ihm geplagt,
Hab auch manchen Gewinn erjagt;
    Läuten hört' ich es niemals.

Der andre sprach und lächelte jung:
Ich gewann mir nichts als Erinnerung;
Es treibt eine Wunderglocke im Meer,
Es freut ein gläubig Herze sehr,
    Das Glockenspiel zu hören.

Richard Dehmel

---

verdrossen, ill-humored; die *Gewalt,* -en, power, force, might; *sich zuschanden plagen,* to work o.s. almost to death; der *Gewinn,* -s, -e, gain, profit; *erjagen,* to snatch, grab.

WAS DER ZIGEUNER SANG

Im Westen stieg eine Wolkenwand auf,
Als wir im Wirtshause saßen
Und zu dem kleinen Fenster hinaussahen.

Da war ein Mann,
Der sprach von seinem Hofe und seiner Stube,
In der die Fliegen gegen die Scheiben am Fenster flogen,
Und seine Frau spann,
Und in dem Schaukelbett sein Knabe lag,
Und er sagte, er wäre zufrieden,
Denn das Getreide des Feldes wäre herein,
Der Winter käme bald und der knirschende Schnee,
Und er hätte die heiße Stube, und seine Tochter,
Die wollte ein andrer Bauer heimführen, —
Zwei Tage nach Weihnachten wollten sie backen.

Da war ein anderer Mann,
Der nicht so viel hatte,
Der sagte, er wäre auch zufrieden,
Denn die Weiden wären billig gewesen im Sommer
Und die Körbe teuer,
Die Rosen hätten so schön in seinem Gärtchen geblüht,
Die er gepflanzt hätte,
Und Holz wäre in seinem Hofe, rechts von der Tür,
Für den ganzen Winter.

---

der *Zigeuner*, -s, -, gipsy; die *Wolkenwand*, ⸚e, bank of clouds; *aufsteigen*, ie, ie, to rise; das *Wirtshaus*, -es, ⸚er, inn; der *Hof*, -es, ⸚e, farm; die *Stube*, -n, room; die *Fliege*, -n, fly; die *Scheibe*, -n, pane; das *Schaukelbett*, -s, -en, cradle; das *Getreide*, -s, grain; *knirschen*, to creak; *heim-führen*, to marry; *backen*, to bake; die *Weide*, -n, willow-reed; *billig*, cheap; der *Korb*, -es, ⸚e, basket; *pflanzen*, to plant.

Und er sprach von seinen Kindern,
Er hatte sechs,
Und er war sehr, sehr zufrieden! — —

Da schirrte Vater den Tivadar
An die alten schlechten Ziehstricke,
Und Mutter nahm Bruder und ihre Pfeife
Und setzte sich ins Wagenstroh.
Ich aber ging daneben
Und zählte immer, immer weiter
Die Bäume an der Straße.
Da war einer, der stand im Graben fast,
Und hatte zu viel Wasser und bloße Wurzeln,
Der ließ die roten und gelben Blätter hängen,
Weil er keinen Boden hatte.

Und ich dachte an die Dorfleute
Mit ihren Häusern,
Und als ich mich umdrehte nach der Schenke,
Glühte der Abend in den Fenstern,
Und blauer Rauch war über dem Schornstein.
Da fielen die ersten Gewittertropfen,
— Wir fuhren in das Gewitter hinein, —
Ich glaube, ich habe geweint.

Börries von Münchhausen

---

schirren, to harness; *Tivadar* = name of horse; der *Ziehstrick*, -s, -e, trace; das *Wagenstroh*, -s, straw in the wagon; *daneben*, alongside (of it); *zählen*, to count; der *Graben*, -s, ¨, ditch; *bloß*, uncovered; die *Wurzel*,-n, root; *umdrehen sich*, to turn around; die *Schenke*, -n, inn; *glühen*, to glow; der *Rauch*, -es, smoke; der *Schornstein*, -s, -e, chimney; der *Gewittertropfen*, -s, -, raindrop.

HERR VON RIBBECK AUF RIBBECK IM HAVELLAND

Herr von Ribbeck auf Ribbeck im Havelland,
Ein Birnbaum in seinem Garten stand,
Und kam die goldene Herbsteszeit
Und die Birnen leuchteten weit und breit,
Da stopfte, wenn's Mittag vom Turme scholl,
Der von Ribbeck sich beide Taschen voll,
Und kam in Pantinen ein Junge daher,
So rief er: „Junge, wiste 'ne Beer?" *
Und kam ein Mädel, so rief er: „Lütt Dirn,
Kumm man röwer, ick hebb 'ne Birn." †

So ging es viel Jahre, bis lobesam
Der von Ribbeck auf Ribbeck zu sterben kam.
Er fühlte sein Ende. 's war Herbsteszeit,
Wieder lachten die Birnen weit und breit;
Da sagte von Ribbeck: „Ich scheide nun ab.
Legt mir eine Birne mit ins Grab."
Und drei Tage drauf, aus dem Doppeldachhaus,
Trugen von Ribbeck sie hinaus,
Alle Bauern und Büdner mit Feiergesicht

Herr von R. auf R., Sir R. of R.; *Ribbeck* = name of his estate; das *Havelland*, -s, country by the river Havel (near Berlin); der *Birnbaum*, -s, ⸚e, pear tree; *leuchten*, to shine; *voll-stopfen*, to stuff; *vom Turme schallen*, the bells (in the tower) strike; die *Pantine*, -n, clog; *lobesam*, worthy; *abscheiden*, ie, ie, to die; das *Doppeldachhaus*, -es, ⸚er, double-roofed house; der *Büdner*, -s, -, cottager; das *Feiergesicht*, -s, solemn face.

* Low German = willst du eine Birne?
† Low German = Kleines Mädchen, komm nur herüber, ich hab' eine Birne.

Sangen: „Jesus meine Zuversicht",
Und die Kinder klagten, das Herze schwer:
„He is dod nu. Wer giwt uns nu 'ne Beer?" *

So klagten die Kinder. Das war nicht recht —
Ach, sie kannten den alten Ribbeck schlecht;
Der neue freilich, der knausert und spart,
Hält Park und Birnbaum strenge verwahrt.
Aber der alte, vorahnend schon
Und voll Mißtrauen gegen den eigenen Sohn,
Der wußte genau, was damals er tat,
Als um eine Birn' ins Grab er bat,
Und im dritten Jahr aus dem stillen Haus
Ein Birnbaumsprößling sproßt heraus.

Und die Jahre gehen wohl auf und ab,
Längst wölbt sich ein Birnbaum über dem Grab,
Und in der goldenen Herbsteszeit
Leuchtet's wieder weit und breit.
Und kommt ein Jung' übern Kirchhof her,
So flüstert's im Baume: „Wiste 'ne Beer?"

---

die *Zuversicht*, refuge; *klagen*, to moan; *der neue*, young Ribbeck; *freilich*, it is true, alas; *knausern*, to be a miser; *sparen*, to save; *streng*, stern; *verwahren*, to guard; *vor-ahnen*, to have a foreboding; das *Mißtrauen*, -s, distrust; der *Sprößling*, -s, -e, shoot; *heraus-sprossen*, to appear; *auf und ab-gehen*, to come and go; *längst*, for a long time; *wölben sich*, to arch, grow; der *Kirchhof*, -s, ⸗e, church-yard; *flüstern*, to whisper.

* Low German = Er ist tot nun. Wer gibt uns nun eine Birne?

Und kommt ein Mädel, so flüstert's: „Lütt Dirn,
Kumm man röwer, ick gew' di 'ne Birn." *

So spendet Segen noch immer die Hand
Des von Ribbeck auf Ribbeck im Havelland.

Theodor Fontane

spenden, to give; der *Segen*, -s, blessings.

*. . . ich geb' dir eine Birne.

GEDANKEN

EIN KLEINES LIED

Ein kleines Lied! Wie geht's nur an,
Daß man so lieb es haben kann,
Was liegt darin? Erzähle! —

Es liegt darin ein wenig Klang,
Ein wenig Wohllaut und Gesang,
Und eine ganze Seele.

Marie von Ebner-Eschenbach

---

wie geht's nur an, how is it possible; der *Klang*, -s, ⸗e, sound, music; der *Wohllaut*, -s, melodious sound, harmony; der *Gesang*, -s, ⸗e, song, melody.

HERRLICHES GEHEIMNIS

Die Erde hat's der Quelle gesagt,
die Quelle hat's dem Baum gesagt,
der Baum hat's dem Vogel gesagt,
der Vogel den vier Winden,
und der Mensch hört es
schon zweitausend Jahre
und kann's nicht finden.

Theowill Uebelacker

---

herrlich, magnificent, great; das *Geheimnis*, -es, -e, secret; die *Quelle*, -n, well, spring.

SEELE

Seele,
quäle
dich nimmer.
Sieh klar:
über ein kleines
bist du wie eines,
das nimmer war.
Spricht die Seele:
Das ist es, warum ich mich quäle.

Hermann Claudius

---

sich quälen, to torment o.s., to worry; *nimmer*, never; *über ein kleines* (Weilchen), in a short time, before long.

ALLEIN

Es führen über die Erde
Straßen und Wege viel,
Aber alle haben
Dasselbe Ziel.

Du kannst reiten und fahren
Zu zwein und zu drein,
Den letzten Schritt mußt du
Gehen allein.

Drum ist kein Wissen
Noch Können so gut,
Als daß man alles Schwere
Alleine tut.

Hermann Hesse

---

das *Ziel*, -es, -e, goal; *zu zwein* . . ., in twos . . .; der *Schritt*, -es, -e, step; *drum* = darum, therefore.

SERENADE

Liebliches Kind,
Kannst du mir sagen,
Sagen, warum
Einsam und stumm
Zärtliche Seelen
Immer sich quälen,
Selbst sich betrüben
Und ihr Vergnügen
Immer nur ahnen
Da, wo sie nicht sind;
Kannst du mir's sagen,
Liebliches Kind?

Johann Wolfgang Goethe

---

lieblich, dear, sweet; *einsam*, lonely; *stumm*, silent; *zärtlich*, sensitive; *quälen sich*, to torment o.s.; *betrüben sich*, to grieve; das *Vergnügen*, -s, pleasure, happiness; *ahnen*, to divine.

ERINNERUNG

Willst du immer weiter schweifen?
Sieh, das Gute liegt so nah.
Lerne nur das Glück ergreifen,
Denn das Glück ist immer da.

Goethe

DER SCHLÜSSEL

Willst du dich selber erkennen,
so sieh, wie die andern es treiben;
Willst du die andern verstehn,
blick' in dein eigenes Herz.

Schiller

FREUND UND FEIND

Teuer ist mir der Freund,
doch auch den Feind kann ich nützen;
Zeigt mir der Freund, was ich kann,
lehrt mich der Feind, was ich soll.

Schiller

Erinnerung! to remember!; *schweifen*, to roam, rove; *ergreifen*, ergriff, ergriffen, to seize.

erkennen sich, erkannte, erkannt, to know o.s.; *treiben*, ie, ie, to behave; *blicken*, to look.

nützen, to profit from, use.

DAS BESTE

Wenn dir's in Kopf und Herzen schwirrt,
Was willst du Bess'res haben!
Wer nicht mehr liebt und nicht mehr irrt,
Der lasse sich begraben.

Goethe

MEINE WAHL

Ich liebe mir den heitern Mann
Am meisten unter meinen Gästen:
Wer sich nicht selbst zum Besten haben kann,
Der ist gewiß nicht von den Besten.

Goethe

LASS REGNEN . . .

Laß regnen, wenn es regnen will,
Dem Wetter seinen Lauf;
Denn wenn es nicht mehr regnen will,
So hört's von selber auf.

Goethe

---

es schwirrt mir im Herzen, my heart is in turmoil; *irren*, to err.
die *Wahl*, choice; *heiter*, cheerful; *sich zum Besten haben*, to joke about o.s.
einer Sache den Lauf lassen, to let a th. take its course; *aufhören*, to cease, stop.

Woher ich kam, wohin ich gehe, weiß ich nicht;
Nur dies, von Gott zu Gott, ist meine Zuversicht.

Rückert

Gott, weil er groß ist, gibt am liebsten große Gaben:
Ach, daß wir Arme nur so kleine Herzen haben!

Angelus Silesius

Lern' im Leben die Kunst, im Kunstwerk lerne das Leben,
siehst du das eine recht, siehst du das andere auch.

Hölderlin

Nicht die Sonne ist Licht,
Erst im Menschengesicht
Wird das Licht als Lächeln geboren.

Werfel

Nenne dich nicht arm, weil deine Träume nicht in Erfüllung gegangen sind; wirklich arm ist nur der, der nie geträumt hat.

Ebner-Eschenbach

---

die *Zuversicht*, trust, hope.
ach, alas; die *Gabe*, -n, gift.
die *Kunst*, ⸗e, art; das *Kunstwerk*, -s, -e, work of art.
in Erfüllung gehen, to come true.

AUFWÄRTS

„Wie komm' ich am besten den Berg hinan?" —
Steig' nur hinauf und denk' nicht dran!

Nietzsche

FÜR TÄNZER

Glattes Eis
Ein Paradeis
Für den, der gut zu tanzen weiß.

Nietzsche

WÄHLERISCHER GESCHMACK

Wenn man frei mich wählen ließe,
Wählt' ich gern ein Plätzchen mir
Mitten drin im Paradiese:
Lieber noch — vor seiner Tür!

Nietzsche

WELT-KLUGHEIT

Bleib nicht auf ebnem Feld!
Steig nicht zu hoch hinaus!

Aufwärts, Upward; *hinan-kommen*, to climb (up).
der *Tänzer*, -s, -, dancer; *glatt*, smooth.
wählerisch, selective, particular; der *Geschmack*, -s, taste.
die *Klugheit*, wisdom; *eben* (adj.), level, plain.

Am schönsten sieht die Welt
Von halber Höhe aus.

Nietzsche

Nichts ist so elend als ein Mann,
Der alles will, und der nichts kann.

Matthias Claudius

Sag' ich, wie ich es denke, so scheint durchaus mir, es bilde
Nur das Leben den Mann, und wenig bedeuten die Worte.

Goethe

Die Worte werden dir manches sagen,
Verstehst du nur sie auszufragen.

Heyse

Die Alten ehre stets,
Du bleibst nicht ewig Kind;
Sie waren, wie du bist,
Und du wirst, was sie sind.

Volksspruch

---

halb, medium.
elend, miserable.
durchaus, absolutely; *bilden*, to form, mould, make; *bedeuten*, to mean.
aus-fragen, to question.
ehren, to honor; *ewig*, for ever; der *Volksspruch*, -s, ⸗e, popular saying.

SIEBEN ZEILEN

Ich weiß eine kleine Insel im Meer,
man nennt sie: Augenblick.
Wer sie beherrscht, wer sie behält
und beide Füße darauf stellt,
der ist ein Held.
Ihm strahlt das Glück aus seiner hohlen Hand,
er ist der König überm allerschönsten Land.

Kayßler

SPRUCH

Menschen von dem ersten Preise
Lernen nichts und werden weise,
Menschen von dem zweiten Range
Werden klug und lernen lange,
Menschen von der dritten Sorte
Bleiben dumm und lernen Worte.

Rückert

---

die *Zeile*, -n, line; die *Insel*, -n, island; der *Augenblick*, -s, -e, moment; *beherrschen*, to reign, rule; der *Held*, -en, -en, hero; *strahlen*, to shine; *hohl*, hollow.

der *Spruch*, -es, ⁻e, epigram; der *Preis*, -es, -e, prize; *weise*, wise; der *Rang*, -es, ⁻e, rank; *klug*, intelligent; die *Sorte*, -n, sort, quality.

AUTOREN

SEITE

Angelus Silesius, Dichtername für Johann Scheffler (1624–1677) aus Schlesien. Mystiker.
Spruch (aus: „Der Cherubinische Wandersmann".) 124

Arndt, Ernst Moritz (1769–1860), Dichter aus der Zeit der Befreiungskriege gegen Napoleon I.
„Ballade" 97

Claudius, Hermann (1878–), Urenkel von Matthias Claudius. Volkstümliche und soziale Dichtungen. Gedankenlyrik.
„In meiner Mutter Garten" 11
„Seele" 119
(Mit Erlaubnis des Verlags Albert Langen-Georg Müller, München)

Claudius, Matthias (1740–1815), volkstümliche, religiöse und humorvolle Dichtungen.
„Die Mutter bei der Wiege" 4
„Abendlied" (gekürzt) 60
„Der Tod und das Mädchen" 88
Spruch 126

Dauthendey, Max (1867–1918), bedeutender Lyriker des Impressionismus.
„Der Mond ist wie eine feurige Ros'" 35
„Wir gehen am Meer" 57
(Mit Erlaubnis des Verlags Albert Langen-Georg Müller, München)

Dehmel, Richard (1863–1920), neben Liliencron der bedeutendste Lyriker des Impressionismus. Liebeslyrik und Naturstimmungen von großer Kraft und Zartheit. Humoristische Kindergedichte; soziale Dichtungen.
„Triumphgeschrei" 3
„Ein Freiheitslied" 47
„Der Arbeitsmann" 59
„Die stille Stadt" 71
„Die Glocke im Meer" 108
(Mit Erlaubnis von Frau Ida Dehmel. Ges. Werke im Verlag S. Fischer, Berlin)

Ebner-Eschenbach, Marie von (1830–1916), realistische Novellen und Romane. Aphorismen.
„Ein kleines Lied" 117
Spruch 124

Eichendorff, Joseph Freiherr von (1788–1857), bedeutendster Lyriker der Romantik.
„Frühlingsgruß" 43
„Stimmen der Nacht" 62
„Lorelei" 105

Ernst, Paul (1866–1933), Dramatiker, Novellist und Kritiker. Kultiviert einfache Sprache.
„Es sitzt ein Kind . . ." 8
(Mit Erlaubnis des Verlags Albert Langen-Georg Müller, München)

Falke, Gustav (1853–1916), Gedankenlyrik, harmonische, etwas verträumte Stimmungsbilder, auch viel Volksliedhaftes.
„Das mitleidige Mädel" 29
„Fromm" 91
(Mit Erlaubnis des Verlags Georg Westermann, Braunschweig)

Flaischlen, Caesar (1864–1920), volkstümlicher Lyriker, bewußt einfach, daseinsfroh, oft lehrhaft.
„Einem jungen Mädchen" 46
(Mit Erlaubnis von Frau Edith Flaischlen)

Fontane, Theodor (1819–1898), bedeutender Realist. Preußisch-historische Romane, Novellen und kraftvolle Balladen.
„Der Gast" 10
„Herr Ribbeck auf Ribbeck" 112

Goethe, Johann Wolfgang von (1749–1832), der größte deutsche Dichter.
„Heidenröslein" 17
„Wanderers Nachtlied" 61
„Erlkönig" 106
„Serenade" 121
„Erinnerung" 122
Sprüche 123

Hausmann, Manfred (1898–   ), Realistische Romane der Gegenwart. Lebhafter, zeitgemäßer Stil.

„Die kleine Mutter" 5

(Mit Erlaubnis des Dichters)

Hebbel, Friedrich (1813–1863), der bedeutendste Dramatiker des Realismus. Kraftvolle, konzentrierte Sprache; packende Balladen und ernste Gedankenlyrik.

„Ich und Du" 34
„Herbstbild" 69

Heine, Heinrich (1799–1856), Lyriker von Weltruf. Vielfach vertont von Franz, Schubert, Schumann, Brahms. Sentimental, oft beißend ironisch. Liebeslyrik von großem Zauber.

„Der alte König" 19
„Nachts in der Kajüte" 30
„Es stehen unbeweglich" 31
„Du schönes Fischermädchen" 32
„Es ragt ins Meer der Runenstein" 33

Hesse, Hermann (1877–   ), bekannt als Novellist und Lyriker. Romantiker. Bewußt einfache Sprache von großem Stimmungsreiz.

„Manchmal" 64
„Auf Wanderung" 87
„Allein" 120

(Mit Erlaubnis des Dichters)

Heyse, Paul (1830–1914), Novellist. Kultivierte Sprache unter romanischem Einfluß.

Spruch 126

Hölderlin, Friedrich (1770–1843), Romantiker auf antik-klassischer Grundlage. Hymnen und Oden von großem Pathos. Gedankenlyrik.

Spruch 124

Holz, Arno (1863–1929), Vorkämpfer des Naturalismus. Bedeutender Lyriker, der neue lyrische Formen sucht: „natürliche, notwendige

Rhythmen", größte Einfachheit und Natürlichkeit des Ausdrucks.
„Vor meinem Fenster" 12
„Schönes, grünes, weiches Gras" 50
(aus: „Phantasus")
„Märchen" 51
(Mit Erlaubnis des Verlags I.H.W. Dietz Nachf., Berlin)

Kästner, Erich (1899–), Erzähler und Lyriker. Oft beißende Zeitkritik.
„Junggesellen sind auf Reisen" 55
„Monolog des Blinden" 81
(aus: „Lärm im Spiegel")
„Das Eisenbahngleichnis" 85
(aus: „Gesang zwischen den Stühlen")
(Mit Erlaubnis der deutschen Verlagsanstalt, Stuttgart)

Katte Zolchow, Martin von (1896–).
„Es ließ ein jeder Frontsoldat" 78
(aus: „Ein Gedicht")
(Mit Erlaubnis des Verlags Winckelmann u. Söhne, Oberhausen, Rheinland)

Kayßler, Friedrich (1874–), bedeutender Berliner Schauspieler und Lyriker. Gedanken- und Stimmungslyrik.
„Es geht eine Tür" 92
„Sieben Zeilen" 127
(aus: „Kreise im Kreis", Horenverlag, Leipzig)
(Mit Erlaubnis des Dichters)

Keller, Gottfried (1819–1890), neben K.F. Meyer der bedeutendste Schweizer Erzähler des 19. Jahrhunderts. Novellen und Romane, in denen sich Realismus und Romantik harmonisch verbinden.
„Du milchjunger Knabe" 16
„Morgen" 49

Lersch, Heinrich (1889–), Arbeiterdichter, durch seine Kriegsgedichte zuerst bekannt.
„Brüder" 79
(aus: „Herz! aufglühe dein Blut")
(Mit Erlaubnis des Verlags Eugen Diederichs, Jena)

Liliencron, Detlev von (1844–1909), Realist und Impressionist mit feinem Humor. Novellist und neben R. Dehmel der bedeutendste Lyriker seiner Zeit.
„Dorfkirche im Sommer" 58
(Ges. Werke, mit Erlaubnis der Deutschen Verlagsanstalt, Stuttgart)

Löns, Hermann (1866–1914), Volkstümliche Lieder, Natur- und Stimmungsbilder der Lüneburger Heide.
„Rose weiß, Rose rot" 36
(aus: „Der kleine Rosengarten")
(Mit Erlaubnis des Verlags Eugen Diederichs, Jena)

Miegel, Agnes (1879–), volkstümliche Lieder, Liebeslyrik und Balladen.
„Chronik" 20
(aus: „Gedichte")
(Mit Erlaubnis der I.G. Cottaschen Buchhandlung Nachf., Stuttgart)

Morgenstern, Christian (1871–1914), Gedanken- und Stimmungslyrik von kultivierter Einfachheit. Besonders bekannt durch seine humoristischen Gedichte, originelle, witzige Spiele mit Gedanken und Sprache.
„Ein Kindergedicht" 6
(aus: „Melancholie")
„Der Schaukelstuhl" 68
(aus: „Galgenlieder")
(Mit Erlaubnis des Verlags Bruno Cassirer, Berlin)

Mörike, Eduard (1804–1875), einer der bedeutendsten deutschen Lyriker. Verbindet romantische Phantasie und realistische Beobachtungsgabe.
„Ritterliche Werbung" 18
„Schön-Rohtraut" 22
„Lied vom Winde" 39

Müller, Wilhelm (1794–1827), einfache, volkstümliche Lyrik.
„Das Wandern" 53

Münchhausen, Börries Freiherr von (1874–   ), bedeutendster Balladendichter der Gegenwart. Formvollendete Natur- und Stimmungslyrik.
„Märchen" 9
„Weißer Flieder" 45
„Heller Morgen" 73
„Kriegsende" 80
(aus: „Das Liederbuch")
„Was der Zigeuner sang" 110
(aus: „Das Balladenbuch")
(Mit Erlaubnis der Deutschen Verlagsanstalt, Stuttgart)

Nietzsche, Friedrich (1844–1900), Als Philosoph und Sprachschöpfer von größtem Einfluß auf die moderne Literatur.
„Zarathustras Lied" 66
(aus: „Also sprach Zarathustra")
Sprüche 125

Rilke, Rainer Maria (1875–1926), Österreicher. Mystisch-religiöse Einfühlung in alles Lebende. Ein unerreichter Meister der lyrischen Form.
„Frühling ist wiedergekommen" 44
„Manchmal geschieht es . . ." 63
„Herbst" 70
„Der Tod ist groß" 89
(Gesammelte Werke)
(Mit Erlaubnis des Inselverlags, Leipzig)

Ringelnatz, Joachim (1883–   ), Lyriker. Besonders bekannt durch seine witzig satirischen Dichtungen.
„Im Park" 67
(aus: „Reisebriefe eines Artisten")
(Mit Erlaubnis des Verlags E. Rowohlt, Berlin)

Rückert, Friedrich (1788–1866), Dichter aus der Zeit der Befreiungskriege gegen Napoleon I. Volkstümliche Lieder.
Sprüche 124, 127

Schaffert, Ph. (?).
„Das ist der Krieg!" (Liller Kriegszeitung) 77
(aus: „Der deutsche Krieg im deutschen Gedicht", Verlag Morawe und Scheffelt, Berlin)

Schaukal, Richard von (1874–), Impressionist. Naturstimmungen und Gedankenlyrik.
„Der alte Gärtner" 48
(aus: „Gedichte 1891–1918", Verlag Georg Müller, München)
(Mit Erlaubnis des Dichters)

Schiller, Friedrich von (1759–1805), der klassische Dramatiker der deutschen Literatur. Balladen und Gedankenlyrik.
Sprüche 122

Schnack, Friedrich (1888–), Neuromantiker.
„Traumreiselied" 65
(aus: „Das blaue Geisterhaus")
(Mit Erlaubnis des Inselverlags, Leipzig)

Schüler, Gustav (1868–), Gedankenlyrik.
„Der Gottsucher" 90
(aus: „Gottsucherlieder")
(Mit Erlaubnis der I.G. Cottaschen Buchhandlung Nachf., Stuttgart)

Storm, Theodor (1817–1888), Novellist und Lyriker. Vereinigt romantische Stimmung mit realistischen Schilderungen.
„Im Volkston" 24

Uebelacker, Theowill (1891–).
„Herrliches Geheimnis" 118
(aus: „Der Frühling steigt aus dem Grabe")
(Mit Erlaubnis des Bärenreiter Verlags, Cassel)

Uhland, Ludwig (1787–1862), Romantiker. Balladen und volkstümliche Lieder.
„Der weiße Hirsch" 98
„Der Wirtin Töchterlein" 101

Vegesack, Siegfried von (1888–), Romanschriftsteller.
„Dunkel wird es, Winter wird es und Nacht“ 72

Volkslieder: „An einen Boten“ 27
„Arm Seelchen“ 94
„Es freit' ein wilder Wassermann“ 99
„Feinsliebchen“ 21
„Hüte Dich!“ 28
„Kein Feuer, keine Kohle“ 26
„Mein“ 15
„Schönster Herr Jesu“ 93
„Schwesterlein, Schwesterlein“ 37
„Volksspruch“ 126
„Wenn ich ein Vöglein wär'“ 25

Werfel, Franz (1890–), Österreicher. Expressionistischer Dramatiker und Lyriker. Später realistischer Romanschriftsteller.
Spruch 124
(aus dem Gedicht: „Lächeln, Atmen, Schreiten“)

Wildenbruch, Ernst von (1845–1909), Realistischer Dramatiker und Novellist. Historische Dramen, vaterländische Lyrik.
„Die Alte“ 103
(aus: Gesammelte Werke, Grotesche Verlagsbuchhandlung, Berlin)

William Robinson
German 102

Middletown,
Kentucky.